Le morphing sur votre PC

Le morphing sur votre PC

David K. Mason

Traduit de l'américain par
Franck FRANCHIN

EYROLLES

LES ÉDITIONS EYROLLES
vous proposent plusieurs services d'informations

1 - POUR UNE INFORMATION COMPLÈTE
sur l'ensemble de notre catalogue : **3615 EYROLLES**

2 - POUR RECEVOIR LE CATALOGUE
de la discipline qui vous intéresse :
vous nous écrivez en nous précisant cette discipline et votre adresse

3 - POUR ÊTRE INFORMÉ RÉGULIÈREMENT
sur nos nouvelles parutions :
vous retournez la carte postale que vous trouverez dans ce livre

ÉDITIONS EYROLLES
61, Bld Saint-Germain - 75240 Paris Cedex 05

L'AUTEUR

David K. Mason

Déjà, adolescent, Dave Mason était obsédé par le graphisme sur ordinateur, aux commandes de son TRS-80 Model I, noir et blanc. Aujourd'hui, après des heures passées sur des animations et des images de synthèse, il est l'auteur de DTA, de DMorf et de quelques autres programmes utilitaires. Dans la vie active, il travaille chez un éditeur de logiciels fort connu où il écrit des programmes qui n'ont, hélas, aucun rapport avec sa passion. Il est diplômé en anglais de la Northearsten University. Dave a cosigné *Making Movies on Your PC* (Waite Group Press, 1993, distribué en France par Eyrolles) avec Alexander Enzmann.

Cher lecteur :

Qu'est-ce qu'un livre ? De simples mots à jamais encrés sur une page de papier ? Ou plus simplement une source d'inspiration qui stimule vos idées et votre créativité ? Je préfère cette dernière solution. C'est pourquoi j'essaye toujours de placer nos ouvrages sur un niveau conceptuel supérieur : de nouvelles technologies pour inventer de nouveaux moyens d'expression.

J'ai écrit mon premier livre en 1973, *Projects in Sights, Sounds et Sensations*. J'aime me rappeler que ce fut notre premier ouvrage multimédia. Depuis, les années ont passé et j'ai compris que les lecteurs ont besoin d'expérimenter et pas seulement d'absorber les informations qu'on leur délivre. À leurs yeux, un livre doit se transformer en une sorte de MTV interactive. C'est à partir de cette idée que j'ai créé ma propre société d'édition et que j'ai publié **Master C**, un ouvrage qui transformait le PC, à l'aide des logiciels inclus, en véritable professeur du langage C. Ensuite, nous nous sommes intéressés aux graphismes avec **Fractal Creations**, qui comprenait un poster en couleur, une paire de lunettes 3D et un générateur inédit de fractales. Depuis, nous avons inclus des disquettes et d'autres accessoires dans la plupart de nos ouvrages. **Virtual Reality Creations** est livré avec une paire de lunettes 3D de type Fresnel et **Walkthroughs & Flybys** avec un CD-ROM multimédia. Grâce à **Ray Tracing Creations, Multimedia Creations, Making Movies on Your PC, Image Lab** et trois autres livres sur les fractales, nous avons rendu le multimédia accessible à n'importe quel utilisateur de PC.

The Waite Group va continuer à publier des livres multimédia innovants sur des sujets à la pointe de la technologie, ainsi que des ouvrages sur la programmation pour rester fidèles à nos origines. Programmeur moi-même, j'apprécie les livres qui me guident explicitement à travers les méandres d'un OS : nos ouvrages sont tous livrés avec des disquettes et des CD, remplis de programmes, d'utilitaires et d'astuces.

A la fin 1994, The Waite Group aura publié 135 livres. L'étape suivante va consister à développer un nouveau type de livre : une expérience multimédia interactive inédite qui fasse participer le lecteur à plusieurs niveaux.

Avec ce nouveau projet, votre PC va se transformer en professeur d'une infinie patience. Vous pourrez lancer des simulations pour mieux visualiser les sujets traités, jouer à un jeu qui vous en montrera les différents aspects, interagir avec d'autres en ligne et accéder instantanément à une importante base de données de référence. Pour ceux d'entre vous qui sont plus conservateurs, vous aurez droit aussi à un livre tout en couleur.

Entre temps, la Maison-Blanche sera câblée et prête au high-tech, ce sera l'aube des super-autoroutes électroniques de l'information, et ordinateurs, communication, distraction et information seront devenus des concepts indissociables. Pour voyager dans cette nouvelle Ère du Numérique, vous allez avoir besoin de guides. The Waite Group vous offrira une telle aide pour exploiter au mieux votre logiciel le plus important : votre cerveau.

Nous espérons que vous allez apprécier ce livre. N'hésitez pas à demander un catalogue en couleurs aux Éditions Eyrolles qui nous distribuent en France. Vous pouvez me contacter directement sur Compuserve à 75146,3515, sur MCI à mwaite et sur usenet à mitch@well.sf.ca.us.

Très sincèrement,
Mitchell Waite
Éditeur

Sommaire

Préface

Le morphing (N.D.T. : que les anglophobes nous pardonnent, mais les termes français *métamorphose* ou *transformation* ne nous semblent pas refléter le contenu sémantique du mot *morphing*...) est une sorte d'alchimie électronique. Vous commencez avec une image numérique puis vous la transformez en quelque chose de totalement différent. Grâce aux techniques du morphing, vos dons de magicien impressionneraient même Merlin l'Enchanteur. Vous pouvez faire jaillir un génie d'une bouteille, vous transformer en loup-garou ou créer tout un univers à partir d'un nuage de poussières.

Vous avez certainement déjà vu les effets de ces techniques informatiques dans des publicités ou dans des films, mais ce n'est plus maintenant une technologie inabordable. Au fur et à mesure que les outils arrivent sur le marché, ces techniques deviennent aussi traditionnelles qu'un jeu vidéo ou une présentation multimédia. En fait, on trouve même des applications du morphing en médecine, en criminologie et dans le monde des affaires.

Le Morphing sur votre PC va vous montrer comment tirer parti des toutes dernières techniques de traitement des images, que vous soyez un débutant ou un utilisateur expérimenté. A travers des exemples pratiques et une prise en main guidée, vous allez apprendre comment employer les programmes qui accompagnent cet ouvrage pour créer de fantastiques graphismes sur votre propre ordinateur.

Les cinq chapitres de ce livre vont vous présenter les concepts de cette technologie puis vous montreront comment générer rapidement vos propres morphings. Vous allez vous apercevoir qu'il est beaucoup plus facile que vous ne pourriez le penser de créer de surprenants effets spéciaux.

– ◈ **Chapitre 1, Introduction** traite des bases du morphing. Vous y découvrirez quelle est la réelle définition du morphing, comment faire la distinction entre le morphing d'image et le morphing d'objet. Ce chapitre passe aussi en revue les développements de cette technologie innovatrice.

◈ **Chapitre 2, Didacticiel DMorf** détaille le processus de construction d'une simple animation à base de morphing. Vous y apprendrez les six étapes de base nécessaires à créer votre propre morphing et comment sélectionner, charger et transformer des images grâce à un exemple pratique.

◈ **Chapitre 3, Astuces et Techniques** présente des techniques de morphing encore plus complexes. Une fois que vous aurez appris à construire un morphisme de base, vous voudrez certainement connaître les mêmes trucs et astuces qu'emploient les professionnels pour rendre vos effets encore plus spéciaux : déformation, lumière, masquage, etc.

◈ **Chapitre 4, Référence** se concentre sur les quatre logiciels sharewares qui accompagnent ce livre. Vous pourrez tirer parti des caractéristiques de ces utilitaires, une fois connus leurs commandes, paramètres et syntaxes. Lorsque vous maîtriserez ces outils, vous disposerez de nouvelles et puissantes possibilités pour créer vos morphings.

◈ **Chapitre 5, Collection de Morphings** inclut 14 animations, toutes faites, de type morphing. Vous disposerez de tous les détails et de toutes les explications nécessaires pour les reproduire. La disquette comprend les morphings et les images que vous pourrez utiliser selon votre imagination. Vous pouvez directement les utiliser ou vous en servir comme point de départ pour vos propres créations.

Saisissez vite votre baguette de magicien de la technologie et lancez-vous dans la lecture de cet ouvrage pour créer des images surprenantes sur votre propre ordinateur !

Installation

C et ouvrage est accompagné de plusieurs programmes sharewares qui vont vous aider à créer des animations de type morphing :

◆ DMorf - Un programme de morphing pour des images à 2 dimensions. Il vous permet de concevoir et de construire des transformations multi-images entre deux images et d'appliquer toutes les déformations que vous désirez.

◆ DTA - Un programme de conversion de format très pratique. Nous allons surtout l'employer pour assembler des séquences de trames sous forme de fichiers au format flic. Il vous permet aussi de créer des images fixes au format GIF à partir des résultats de DMorf.

◆ Trilobyte Play - Ce programme permet de visualiser sur votre écran VGA ou SVGA des fichiers au format flic que vous avez générés grâce à DTA. Il accepte aussi les fichiers flics générés par Animator Pro d'Autodesk, 3-D Studio et bien d'autres programmes.

MATÉRIEL NÉCESSAIRE

Le tableau 1 montre plusieurs configurations matérielles possibles : celle vraiment minimale pour utiliser le logiciel, le système nécessaire pour être un minimum opérationnel, et la configuration qui vous permettra de tirer le meilleur du logiciel.

Matériel	Minimum	Pratique	Idéal
Processeur	80286	80386SX ou DX ou 80486SX	80486DX2/66 ou Pentium
RAM	2Mo	4Mo	16Mo (vous pouvez en avoir plus mais Dmorf ne saurait pas l'utiliser)
Disque dur	20Mo	80Mo	500Mo
Adaptateur vidéo	VGA	VESA SVGA, 640 x 480 x 256	VESA SVGA Accéléré, 1024 x 768 x 256
Autres	Souris compatible Microsoft	Souris, coprocesseur mathématique, scanner à main(niveaux de gris)	Souris, scanner couleur à plat. Le coprocesseur est inclus dans le processeur.

Tableau 1

Il existe deux versions du programme DMorf : DMORF.EXE pour les systèmes qui disposent d'un coprocesseur arithmétique et DMORFNC.EXE pour ceux qui n'en ont pas. Bien que chacune des versions puisse fonctionner avec ou sans coprocesseur, vous y perdrez beaucoup en performances si vous utilisez la version inappropriée. C'est tout particulièrement vrai si vous employez DMORF.EXE sur une machine sans coprocesseur. Le tableau 2 montre le temps nécessaire à chacun des deux programmes pour calculer un morphing d'une trame entre deux images (320 x 200 pixels) sur trois machines différentes.

Si vous ne disposez pas de coprocesseur (calcul en virgule flottante), nous vous conseillons de supprimer le fichier DMORF.EXE et de le remplacer par DMORFNC.EXE de la manière suivante :

```
del dmorf.exe

rename dmorfnc.exe dmorf.exe
```

INSTALLATION DES FICHIERS

Pour installer les outils de morphing et les fichiers d'exemples, insérez la première disquette d'accompagnement dans votre lecteur de disquettes. A l'appel système du DOS, entrez :

Un moment ! Si votre lecteur de disquettes est le lecteur B, tapez " b: " au lieu de " a: " dans la commande suivante. Si vous désirez installer ces fichiers dans un lecteur de disque différent de C, utilisez la lettre correspondante à la place de " c: ".

```
a:install a: c:
```

Une fois que le traitement par lots est terminé, retirez la disquette et insérez la seconde. Entrez une fois de plus :

```
a:install a: c:
```

Système	DMORF.EXE	DMORFNC.EXE
80486 DX2-50, coprocesseur intégré	36 sec.	1 min 28 sec.
80486 DX-33, coprocesseur intégré	44 sec.	1 min 58 sec.
80386 DX-25, pas de coprocesseur	49 min 34 sec.	4 min 55 sec.

Tableau 2

Une fois le programme d'installation terminé, les outils de morphing et leurs fichiers se trouvent dans le répertoire MORPHING\TOOLS. Les fichiers d'exemples ont été placés dans d'autres répertoires situés sous MORPHING dans l'arborescence. Ceux du chapitre 2 sont dans MORPHING\CHAP2, ceux du chapitre 3 dans MORPHING\CHAP3, etc.

Nous vous conseillons d'éditer votre fichier AUTOEXEC.BAT afin de placer le chemin d'accès MORPHING\TOOLS dans l'instruction PATH. Si vous avez demandé au programme d'installation de placer les fichiers dans le lecteur C, votre instruction PATH devrait ressembler à :

```
PATH C:\;C:\DOS;C:\WINDOWS;C:\MORPHING\TOOLS
```

Les répertoires du début de la ligne dépendent de votre système. Notez que le nouveau chemin d'accès ne sera pris en compte qu'une fois votre ordinateur réinitialisé.

CONFIGURATION DE VOTRE MÉMOIRE

DTA et DMorf ont besoin de mémoire supplémentaire sous forme de mémoire étendue (XMS), alors que Play nécessite de la mémoire paginée (EMS) pour charger des fichiers d'animation de taille importante. Heureusement, la plupart des logiciels modernes de gestion mémoire (QEMM-386, 386^{MAX}, voire HIMEM.SYS et EMM386.EXE de DOS 6) vous permettent d'allouer votre mémoire de ces deux manières.

Si vous employez MS-DOS 5 ou une version précédente, il vaut mieux ne pas utiliser en même temps HIMEM et EMM386. Les deux gestionnaires de mémoire ne savent pas gérer une même quantité commune de mémoire : si vous demandez de la mémoire étendue, vous ne pouvez pas l'exploiter en mémoire paginée. A moins de disposer de suffisamment de mémoire sur votre système pour vous permettre d'être si dispendieux, vous feriez mieux soit d'employer un des gestionnaires de mémoire cités précédemment, soit de mettre à jour votre système en MS-DOS 6.

COMPRESSION AUTOMATIQUE

Tous les programmes de cet ouvrage fonctionnent correctement avec les logiciels de compression de disque tels que Stacker et SuperStor. Il est même possible que vous ayez réellement *besoin* d'un tel compresseur de fichiers car le nombre et la taille des fichiers que vous allez créer sont importants. Si vous employez de tels programmes, veillez à sauvegarder périodiquement vos fichiers les plus importants. Cela reste un conseil à suivre même si vous ne compressez pas votre disque, mais c'est encore plus vital si c'est le cas. Nombreux sont ceux qui n'ont eu aucun problème, mais l'auteur pourrait vous raconter plusieurs histoires horribles à ce propos.

UTILISATION DE MICROSOFT WINDOWS

Vous pouvez exécuter tous les programmes de cet ouvrage dans une fenêtre DOS sous Windows 3.1 si vous modifiez correctement le fichier de configuration DOSPRMPT.PIF. Quelle que soit la mémoire disponible sous Windows, les programmes ne pourront pas y accéder si vous ne modifiez pas ce fichier PIF. Voici comment procéder :

1. Dans le Gestionnaire de programmes de Windows, cliquez sur l'icône PIFEDIT (dans le répertoire Principal normalement).

2. Dans le programme PIFedit, déroulez le menu Fichier et cliquez sur le bouton Ouvrir.

3. Dans la liste Nom de fichier de la boîte de dialogue Ouvrir, sélectionnez DOSPRMPT.PIF puis cliquez sur le bouton OK. A ce stade, la fenêtre de PIFedit devrait ressembler à celle de la figure 1.

4. Cliquez sur la case " Ko maximum " à la fin de la ligne " Mémoire paginée " et changez la valeur par défaut de 1024 en une valeur plus confortable comme 8000.

5. Faites de même avec la case Ko maximum de Mémoire étendue.

6. Puisque vous êtes dans PIFedit, vérifiez que Écran est défini à Plein écran et non à Fenêtre.

7. Dans le menu Fichier, cliquez sur Quitter. Lorsque la boîte de dialogue vous demande de valider vos modifications, cliquez sur le bouton Oui.

DTA peut s'exécuter soit en mode plein écran, soit en mode fenêtre mais DMorf et Play ont besoin du plein écran. Si vous lancez DMorf ou Play en mode graphique Super VGA, il vaut mieux éviter de commuter sur d'autres

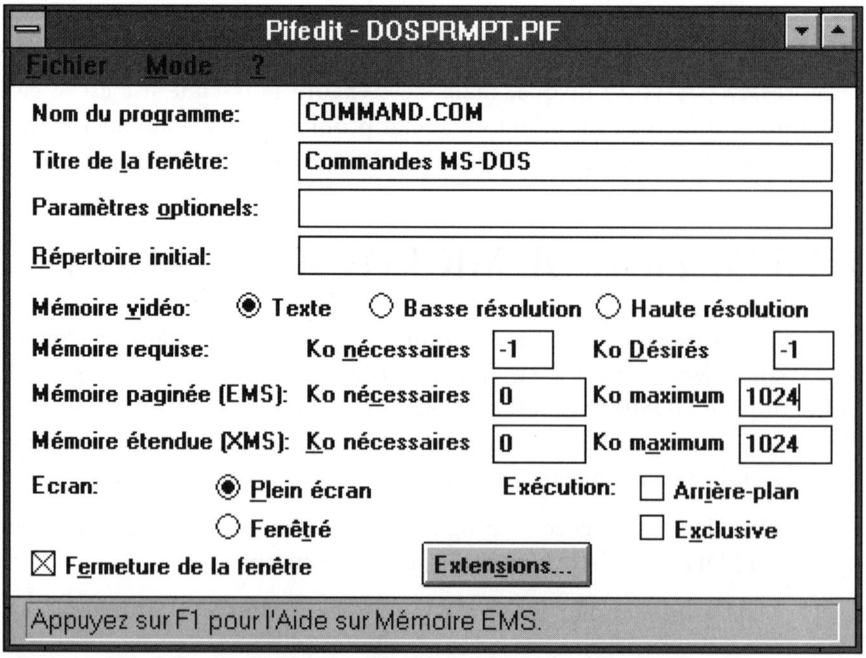

Figure 1 Modification de DOSPRMPR.PIF avec PIFedit.

tâches pendant que le programme s'exécute. Windows risque de ne pas être capable de réinitialiser correctement le mode graphique et vous risquez de vous retrouver avec un écran plein de signes étranges. Si vous oubliez cette recommandation et passez à une autre tâche grâce à ALT-TAB à partir de DMorf, ne vous affolez pas. DMorf continuera à s'exécuter à part les problèmes d'affichage. A partir de n'importe quel menu, vous pouvez appuyer sur ALT-R pour demander à DMorfde redessiner l'écran. Si vous êtes en mode VGA standard (648 x 480 en 16 couleurs pour DMorf ou 320 x 200 en 256 couleurs pour Play), vous n'aurez aucun problème.

UTILISATION SOUS OS/2 2.X

Ces programmes peuvent aussi s'exécuter correctement dans une fenêtre " DOS Plein écran " d'OS/2. Une fois de plus, vous devez configurer la session DOS pour vous assurez qu'OS/2 alloue assez de mémoire pour les programmes. Pour cela, procédez ainsi :

1. Dans le groupe de programmes Command Prompts, cliquez sur l'icône DOS Plein écran avec le bouton droit de la souris.

2. Dans le menu qui apparaît, cliquez sur la petite flèche tournée vers la base avec le bouton de gauche de la souris (à côté de la commande Ouvrir), puis cliquez sur Paramètres.

3. Une fois que la fenêtre Paramètres apparaît, cliquez sur Session puis sur le bouton Paramètres DOS.

4. Dans la fenêtre de dialogue Paramètres DOS, faites défiler la liste Paramètres jusqu'à ce que LIMITE_MEMOIRE_EMS apparaisse.

5. Cliquez sur LIMITE_MEMOIRE_EMS pour sélectionner ce paramètre puis sur le nombre à côté de Valeur:.

6. Entrez un nombre suffisant dans la case Valeur:, comme 4096 ou 8000.

7. Faites dérouler la liste jusqu'à faire apparaître LIMITE_MEMOIRE_ EMS et modifiez-en aussi la valeur.

8. Cliquez sur le bouton Sauvegarder. OS/2 est maintenant correctement configuré. Chaque fois que vous voudrez exécuter un des outils de morphing, cliquez simplement sur l'icône DOS Plein écran.

Au contraire de Windows, OS/2 n'a aucun problème avec la gestion de l'affichage si vous commutez entre des tâches avec CTRL-ESC, quel que soit le mode graphique employé.

C'EST TERMINÉ !

Vous venez d'installer les logiciels sur votre disque dur et êtes prêt à vous lancer. Il est temps maintenant de vous saisir de votre baguette magique pour créer vos propres animations à base de morphing.

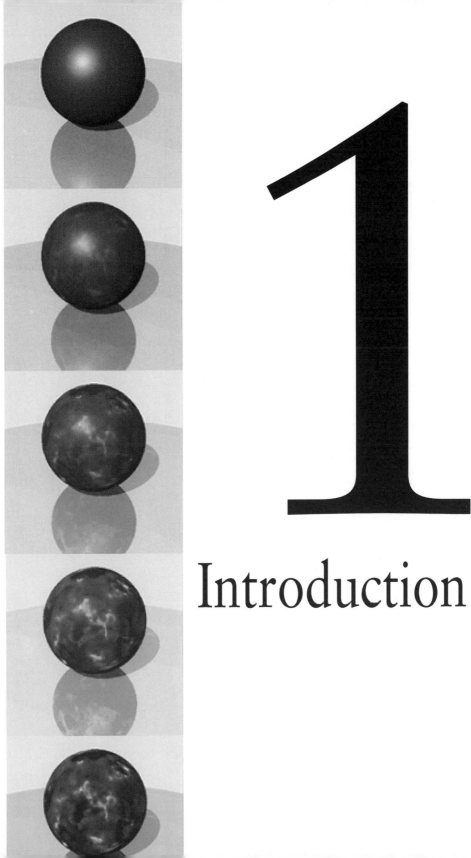

1

Introduction

CHAPITRE 1

Introduction

Poursuivons. Pourquoi ne pas vous donner le corps d'Arnold Schwarzenegger sans une seule goutte de sueur ? Transformez le plomb en or. Faites apparaître un château dans les nuages. Changez un adulte en enfant. Grâce à cette innovante technologie informatique connue sous le nom de morphing, de telles transformations ne sont plus le privilège des magiciens ou autres alchimistes, des dieux ou des chirurgiens esthétiques. C'est même beaucoup plus facile. Alors que Merlin l'Enchanteur avait besoin de nombreux grimoires de magie, le morphing va vous permettre d'obtenir des résultats similaires sans peine.

Le morphing a littéralement changé la manière de réaliser les films, les séries télévisées et les clips vidéo. C'est déjà un des effets spéciaux couramment employés en publicité et dans les films de divertissement. Au fur et à mesure que cette technologie se développait, elle est devenue accessible à plus d'utilisateurs. Vous n'avez plus besoin de disposer des énormes moyens financiers d'un studio de cinéma pour créer de superbes images avec de tels effets de transformation. Grâce aux outils et aux techniques présentés dans cet ouvrage, vous allez devenir un vrai magicien du morphing.

QU'EST-CE QUE LE MORPHING ?

Le morphing est une technique d'effets spéciaux assistée par ordinateur qui vous permet de transformer une image en une autre, de manière graduelle. Bien que l'implémentation informatique de cette méthode soit relativement récente, l'idée du changement de forme, ou métamorphose, existe depuis que l'homme raconte des histoires au coin du feu.

Déformation 1

Déformation 2

**Mélange
des deux séquences**

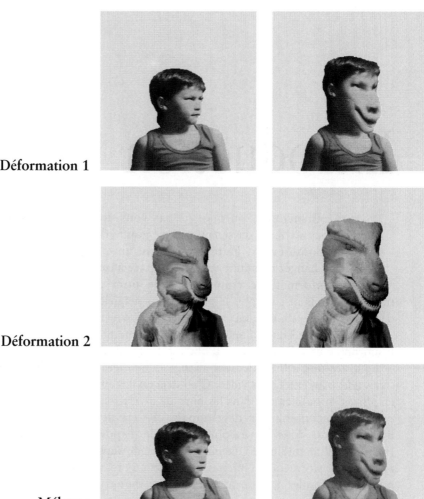

Figure 1-1 Comment fonctionne le morphing

À partir de deux images, un ordinateur peut déformer de manière incrémentale la géométrie de chacune pour mélanger l'une à l'autre. Il fait correspondre la forme du premier objet à celle du second, et simultanément, un ensemble d'images déformées se mélange à un autre. La figure 1-1 illustre ce processus avec Michael (" Brick ") Maloney et le *Tyrannosaurus Rex* du Musée des sciences de Boston.

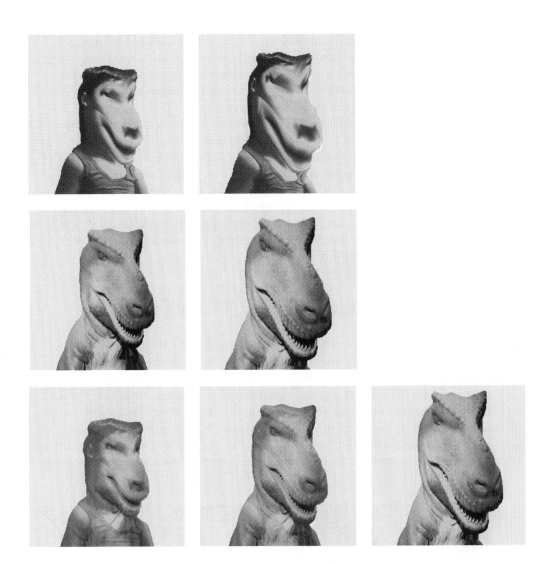

Morphing 2-D ou 3-D ?

Il existe deux méthodes très différentes pour créer de tels effets. La première, appelée morphing objet ou 3-D, transforme le modèle tridimensionnel d'un objet en un autre. Les modèles sont ensuite transformés en images, par rendu. Cette technique donne des résultats très réalistes, grâce à la construction de modèles complexes et aux outils de rendu, en particulier pour des objets qui n'existent pas. Le principal inconvénient est que vous ne pouvez appliquer du morphing qu'à des objets dont vous disposez des modèles, ce qui peut être long et coûteux. La figure 1-2 en donne un exemple désormais classique, tiré du film *Terminator 2* de 1991, lorsque le méchant terminator semble se matérialiser du sol pour prendre forme humaine.

La seconde méthode, nommée 2-D ou morphing image, déforme et mélange des images déjà existantes. La figure 1-3 en donne un exemple. *Terminator 2* comprend aussi beaucoup d'effets 2-D. De nombreuses scènes rapprochées, où le terminator T-1000 se transforme en un humain, en sont certainement des exemples d'une technicité parfaitement maîtrisée. Avec moins d'effort qu'il n'est nécessaire pour construire, appliquer un morphing puis effectuer un rendu d'un modèle 3-D, vous pouvez aisément transformer une image en une autre. Les programmes et le didacticiel de ce livre vont vous aider à apprendre à créer des morphings 2-D simples.

UNE TECHNOLOGIE FASCINANTE

Pourquoi le changement de forme nous fascine-t-il tant ? Il est certain que la métamorphose fait partie intégrante de la vie. De repoussantes chenilles se transforment en adorables papillons. Des bébés charmants deviennent d'affreux garnements. Les œufs se transforment en poulets. Le lait se met à tourner si vous n'avez pas vérifié la date de péremption. Les politiciens retournent leur veste en fonction de leur auditoire. Rien n'est moins inhabituel que de voir des choses se transformer en d'autres. Mais la technologie du morphing vous donne une bien meilleure appréciation du processus de

Figure 1-2 Un morphing (3-D) d'objet complexe tiré de *Terminator 2* (1991)

Figure 1-3 Grâce aux outils de cet ouvrage, vous allez être capable de créer une telle image 2-D qui mélange ours et faucon

modification parce qu'elle vous permet de voir ces changements instantanément et tout en couleurs.

Le morphing est aussi une sorte de pouvoir magique qui accomplit des tâches impossibles même si ce n'est qu'à travers un écran d'ordinateur, de télévision ou de cinéma. Vous pouvez employer cette technologie pour créer de nouvelles formes de vie, pour rénover des villes complètes, pour transformer un vilain petit canard en un superbe cygne ou métamorphoser n'importe quel pauvre mortel assez fou pour se confier à vous. Difficile pour Merlin de vous égaler.

Mythes et légendes

Alors que les récents effets spéciaux de type morphing s'avèrent réellement novateurs, l'idée qu'une créature puisse prendre une autre forme est vieille comme le monde. Les légendes et les mythes de presque chaque culture, ainsi que de nombreuses histoires connues bien avant l'avènement de l'écriture, font mention de créatures ou de divinités qui changent de forme. Un certain nombre de divinités romaines et grecques se transformaient pour arriver à leurs fins. Zeus, par exemple, s'était lui-même changé en taureau, en cerf et en cygne pour empêcher que son épouse, Héra, ne s'aperçoive qu'il courtisait des mortelles. Un dieu mineur, Proteus, changeait de forme presque constamment, en monstres, flammes, flots, etc. Le dieu romain Mercure, patron des voleurs, pouvait tellement modifier son apparence qu'il inspira le mot *mercuriel* qui signifie " de caractère changeant ".

De telles légendes ne se limitent pas à la culture gréco-romaine. On retrouve dans la culture des Indiens d'Amérique le fameux et turbulent coyote qui se transformait en une variété d'animaux pour accomplir ses mauvais coups. La mythologie nordique a le dieu Loki qui changeait souvent de forme pour perpétuer ses méfaits. Les anciennes légendes celtiques, qui influencèrent beaucoup celles du roi Arthur, ont introduit le magicien Merlin qui pouvait se transformer en toute chose. Les forêts de l'Europe médiévale sont censées être le royaume des loups-garous et des vampires, des hommes, victimes de malédiction, qui, sous certaines influences, devenaient d'horribles monstres. Même les tendres contes d'Andersen ou des frères Grimm font appel à ces thèmes (*La Belle et la Bête, Pinocchio*, qui disposait d'ailleurs d'un appendice nasal à morphing automatique) et saluent la transformation d'un être bestial ou étrange en une magnifique créature.

LE DÉVELOPPEMENT DU MORPHING

Nombreux sont les experts en effets spéciaux qui ont essayé pendant des années de créer des transformations convaincantes. Avant que Hollywood n'embrasse la technologie informatique, de tels effets étaient difficiles et peu convaincants. Dans le film *Dracula* de 1931, Bela Lugosi se transformait en chauve-souris grâce à une animation dessinée à la main. Dans d'autres films d'action, comme *The Wolf Man* de 1941, la transformation s'effectuait à grand renfort d'heures de travail des maquilleurs. Jack Pierce fut alors le maître de cette technique, une sorte de magicien du morphing de l'époque. Lon Chaney Jr avait été filmé plusieurs fois, à des étapes successives du maquillage. Un peu comme les dessins animés, chaque prise était effectuée distinctement et séquentiellement, selon un processus incrémental pour le maquillage. Il suffisait ensuite aux monteurs de mettre bout à bout ces prises pour obtenir l'effet final désiré : la transformation d'un homme en loup-garou devant l'auditoire terrorisé d'une salle de cinéma (voir figure 1-4).

Sans énorme budget ou sans innovation technologique majeure, la plupart des effets spéciaux étaient créés grâce à la bonne vieille astuce du magicien qui consiste à attirer votre attention sur sa baguette magique alors qu'il sort une carte de sa manche avec son autre main. Dans le film *The Fly* de 1958, un scientifique se transforme en insecte, à l'abri de la caméra dans sa chambre de désintégration. Dans la série télévisée " Cosmos 1999 " des années 70, la caméra zoome dans l'œil de Maya, puis revient en arrière pour découvrir

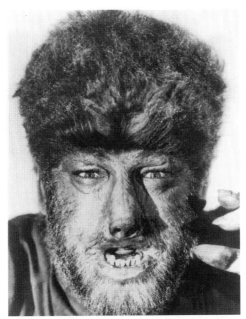

Figure 1-4 Grâce à quelques astuces de prise de vue, Lon Chaney Jr se métamorphose en bête immonde dans *The Wolf Man* (1941)

qu'elle a changé de forme. Dans les années 80, des systèmes hydrauliques ont permis, dans des films comme *Altered States* et *American Werewolf in London*, de créer l'illusion d'un homme se transformant en homme de Neandertal ou en chien assoiffé de sang, en déformant un masque posé sur son visage.

En 1988, Industrial Light and Magic (ILM) ont introduit le terme " morph " dans le cinéma en développant le logiciel nécessaire à un effet spécial inédit. A ILM, Douglas Smythe, de la division Effets Spéciaux de George Lucas, a créé un logiciel pour générer des effets de fusion d'images pour le film *Willow* de Ron Howard. Cette histoire héroï-fantastique est pleine de magie, en particulier avec un personnage qui se change en oiseau, puis en tortue, en tigre puis reprend forme humaine. Grâce à cette nouvelle technologie, la transformation atteignait un réalisme jusqu'alors inconnu. L'ère du morphing informatique était là.

Les magiciens d'ILM et d'une autre société bien connue dans ce domaine, Pacific Data Images (PDI), ont été les pionniers de ce type de logiciels. Ils ont d'ailleurs dû les développer eux-mêmes puisqu'ils étaient les vrais inventeurs de cette technologie. Maintenant que le morphing est devenu accessible à tous, les professionnels emploient des systèmes de morphing complexes qui coûtent plusieurs millions de francs.

Depuis le superbe *Willow*, le morphing est devenu l'effet spécial le plus recherché. Il est employé dans toutes sortes de films, de programmes télévisés, de publicités et de clips vidéo. Bien qu'il se prête bien à tous les films fantastiques, de science-fiction et d'horreur, il s'affirme aussi dans les films humoristiques. En 1985, dans la comédie *Pee Wee's Big Adventure*, un routier nommé Large Marge se transformait soudainement en horrible mutant aux yeux d'insecte pour le plus grand plaisir des spectateurs. Le morphing est approprié à toute situation qui met en œuvre une modification physique.

Nous allons passer en revue les exemples les plus mémorables de ces dernières années, ce qui vous donnera peut-être des idées pour vos propres créations !

Dans les films

Willow a été le premier film à employer le morphing informatique, mais a été rapidement suivi par le grand classique des films d'aventure, *Indiana Jones et la Dernière Croisade*, une autre création d'ILM. Le morphing y fut employé pour augmenter l'intérêt du film et la sensation de péril immédiat. Dans un extrait mémorable, un méchant se décompose littéralement devant nos yeux ébahis, après avoir choisi le mauvais graal. Bien que le morphing se retrouve dans toutes sortes de films, c'est vraiment dans les films d'horreur et de science-fiction qu'il a gagné ses lettres de noblesse. On le retrouve dans *Star Trek VI : The Undiscovered Country*, *Abyss* et peut-être encore plus spectaculairement dans *Terminator 2 : The Judgment Day*.

Les créatures qui changent de forme foisonnent depuis longtemps dans les histoires de science-fiction. Mais le concept a vraiment pris de l'intérêt sur le grand écran avec le film *Star Trek VI : The Undiscovered Country* de 1992. On peut y voir une superbe femme se transformer en une monstrueuse et gigantesque créature puis en une version diabolique du fameux Capitaine James T. Kirk.

En 1989, dans le film *Abyss*, une créature du fond des mers utilise des molécules d'eau pour communiquer avec les humains. Dans une scène parti—culièrement poignante, elle prend la forme du visage de l'héroïne, Lindsay Brigman, puis du héros, Bud Brigman, et sourit, imitant parfaitement les humains.

Comme nous l'avons mentionné précédemment, le film *Terminator 2 : The Judgment Day*, de 1991, a utilisé les techniques de morphing 2-D et 3-D pour prendre en compte les diverses transformations prévues dans le scénario. C'est une des meilleures démonstrations des technologies professionnelles de morphing. Le film en est parsemé, ce qui s'avère très impressionnant pour le spectateur. Tout au long du film, le tueur fait de métal liquide transforme ses mains en couteau, en hache ou en tout autre instrument contondant et prend même la forme d'autres personnages. Et tout cela a lieu devant nos yeux écarquillés d'étonnement.

Dans les séries télévisées

Au fur et à mesure que les outils devenaient disponibles et que les coûts baissaient, les studios de télévision ont ajouté ce type d'effet spécial à leur sac à malices hebdomadaires. Alors que " Cosmos 1999 " utilisait des subterfuges pour la transformation de Maya, les programmes télévisés récents de science-fiction montrent réellement le changement de forme des personnages.

" Star Trek - Deep Space 9 " met en scène un personnage unique, Constable Odo, qui sert comme officier de sécurité sur une base éloignée. Il est en particulier capable de changer de forme, aptitude qu'il emploie pour se glisser sous des portes, se cacher sous l'aspect d'un rat, voire se transformer en meuble, tout cela au nom de la loi. Lorsque quelqu'un lui lance un couteau, il se transforme en liquide. Le couteau, dont on voit d'ailleurs la silhouette par réflexion dans le liquide, passe à travers Oto, en laissant une simple éclaboussure. Pour arriver à cet effet de morphing, il a fallu, entre autres étapes de cet effet spécial, effectuer un scanning de l'acteur Rene Auberjonois grâce à un laser et créer un modèle mathématique aléatoire du liquide. Bien que de telles techniques ne soient pas à la portée des équipements et des budgets même des plus enthousiastes, cela ne doit pas nous faire oublier que le show télévisé " Babylon 5 ", en 1993, comprenait plusieurs morphings 2-D splendides, réalisés grâce à un programme commercial sur des ordinateurs Commodore Amigas.

Dans les clips vidéo

L'industrie de la musique a aussi sacrifié à la technologie du morphing. En fait, elle l'a même employé avant l'arrivée de MTV. La jaquette de l'album " Somewhere in New York City " de John Lennon et Yoko Ono en 1972 comprenait leurs propres images, arrangées en arc de cercle, comme on peut le voir sur la figure 1-5. En 1984, Kevin Godley et Lyle Creme, du groupe 10cc, ont créé la première vidéo utilisant le morphing pour leur single " Cry ". Bien que la technique employée faisait plutôt appel à un mixage qu'à un

Figure 1-5 Un exemple de morphing sur la jaquette de l'album
" Somewhere in New York City " de John et Yoko

morphing informatique, cette vidéo attira l'attention et encouragea d'autres
expérimentations.

La superstar pop Michael Jackson s'est métamorphosé dans de nombreuses
vidéos. Dans le mini-film qui accompagne sa fameuse chanson " Thriller ",
Michael se transforme devant nos yeux en loup-garou. La vidéo, réalisée par
John Landis, utilise les mêmes techniques que celles qu'il a employées dans son
film *American Werewolf in London*. Plutôt que par combinaison de plusieurs
images graphiques, la transformation s'effectue par un savant mélange de
maquillage et de systèmes hydrauliques. Une vidéo encore plus récente de
Michael Jackson, " Black or White ", est un réel délire de transformations
créées par les magiciens de PDI. Le thème de la chanson sur l'harmonie raciale
est renforcé par le morphing de personnes de plusieurs races. Dans la version
longue, on peut même voir la très belle transformation de Michael Jackson en
panthère noire. PDI a utilisé un programme développé en interne pour générer
ces transitions sophistiquées entre des personnages en mouvement.

PDI a ensuite concrétisé sa position de spécialiste en effets spéciaux
numériques avec la production d'une autre vidéo pour David Byrne, de
Talking Head, " She's Mad ". Cette démonstration de morphing comprend 27
effets différents qui montrent Byrne sous les effets de la douleur due à l'amour.
D'autres artistes, tels que Peter Gabriel, ont aussi inclu du morphing dans
leurs vidéos.

Dans les publicités

Les publicités télévisées ont couramment recours au morphing. Les publicistes ont de plus en plus besoin de rendre leurs films mémorables et d'attirer l'attention du public, besoin auquel peut répondre le morphing. Exxon a renouvelé le slogan " Mettez un tigre dans votre moteur " en transformant la partie avant d'une voiture propulsée par Exxon en un tigre bondissant (voir figure 1-6). Dans le même genre, n'oublions pas la manière avec laquelle UNOCAL a montré comment les conducteurs peuvent s'identifier à leurs voitures, en transformant leurs visages en voitures. Schick avait besoin de prouver que les lames de rasoir traditionnelles ne conviennent pas au visage humain, à moins que ce dernier ne soit parfaitement rectangulaire. Ils ont dépassé Picasso et Braque dans leurs œuvres cubistes de la figure 1-7.

Pour vanter ses mérites, une station de radio a utilisé un effet de déformation dans une publicité télévisée qui exagère ou modifie l'aspect d'un sujet. Dans cette publicité, on peut voir le visage décontracté d'une femme qui réagit à l'écoute de diverses stations de radio. La station spécialisée " heavy metal " fait littéralement éclater ses oreilles, celle d'informations déforme sa bouche et ses yeux sortent de ses orbites au fur et à mesure que sa recherche d'un programme adéquat s'avère vaine. Une autre publicité télévisée montre un passager d'une compagnie aérienne qui s'ennuie mais à qui une hôtesse consciencieuse propose finalement " Café, thé ou SEGA ? ". Le dernier mot prononcé le fait rouler des yeux.

Figure 1-6 Un tigre dans une voiture ?

Figure 1-7 Le morphing peut créer des visages bien adaptés aux rasoirs conventionnels

AUTRES APPLICATIONS

Bien que l'emploi le plus couramment reconnu du morphing se retrouve dans les techniques d'effets spéciaux au cinéma, à la télévision et dans la publicité, son utilisation n'en est pas pour autant limitée à ces applications de divertissement. Il s'avère être aussi un outil bien utile dans la médecine, le monde des affaires et la justice.

◆ Il pourrait être possible d'utiliser les techniques de déformation d'images pour prévisualiser les résultats de la chirurgie réparatrice et esthétique. Avec la photo du patient avant l'opération, on déforme le nez ou le menton selon le résultat souhaité. Ceci pourrait enfin aider les patients qui ne sont pas vraiment sûrs de ce qu'ils désirent, et calmer les plus appréhensifs. Certains chirurgiens, plutôt conservateurs, pourraient même se servir de cette technologie pour décourager un patient d'une éventuelle opération.

◆ Certains scientifiques utilisent déjà des équations mathématiques et des probabilités sur les tissus humains pour reconstruire l'aspect facial à partir d'un crâne humain. Ces techniques pourraient être employées avec celles du morphing pour reconstituer par exemple le visage d'une victime assassinée. Pour plus d'informations sur cette méthode, veuillez consulter l'article " Computer aided forensic facial reconstruction " par Ray Evenhouse, Mary Rasmussen et Lewis Sadler de l'université de l'Illinois au Département de visualisation biomédicale de Chicago.

◆ Le morphing prouve aussi son efficacité dans le " vieillissement " artificiel de photographies. Cette technique permet par exemple à la police de se faire une meilleure idée de l'aspect d'une personne disparue plusieurs années après la date de la seule photo dont elle dispose. Il est ainsi possible d'employer les outils de traitement d'image pour redessiner la chevelure, ajouter des lunettes ou montrer les effets du vieillissement.

◆ La création d'effets spéciaux pour les présentations professionnelles, les applications multimédia ou les jeux de rôle. Imaginez, par exemple, des jeux de rôle dans lesquels un sort jeté sur un personnage transforme réellement son image numérisée.

◆ La création d'images de personnes ou d'animaux qui n'existent pas à partir de photos de personnes ou d'animaux qui n'existent plus.

Animation

Le morphing et l'animation sont des concepts très liés. Vous n'emploierez le morphing que dans de rares occasions, mais vous aurez presque toujours besoin d'animer vos résultats. En animation informatique, vous devez afficher plusieurs images, l'une après l'autre, de manière assez rapide pour que vos yeux aient réellement l'impression de mouvement et non d'une suite d'images fixes. C'est le même problème avec le morphing.

Chaque image distincte d'une animation s'appelle une trame. La vitesse à laquelle sont affichées ces trames s'appelle un taux de trame. Ce dernier se mesure en trames-par-seconde ou tps (fps en U.S.). Le taux de trame d'un film est de 24 tps. Celui de la télévision en France est de 25 tps (30 tps aux Etats-Unis).

Un *flic* est une animation au format de fichier .FLI (ou FLC). C'est dans le programme Animator d'Autodesk qu'est apparu pour la première fois ce format de fichier, mais il est maintenant supporté par la majorité des autres programmes d'animation. Les autres formats les plus répandus sont AVI (Microsoft Video for Windows), MPEG et ANI (3D Workshop de Presidio).

PRÊT POUR L'EXPLORATION

La faculté de changer de forme a toujours été une source d'intrigue. Les magiciens, les scientifiques et les chirurgiens ont tous essayé de transformer les formes, mais seules les récentes techniques de morphing ont permis à tous d'accéder à cette possibilité. Après ses formidables débuts dans l'industrie cinématographique, le morphing poursuit son chemin sur les ordinateurs domestiques.

Maintenant que vous vous êtes familiarisé (et peut-être inspiré) avec la théorie et l'historique du morphing, nous allons passer à la partie pratique et créer de superbes effets spéciaux.

2

Didacticiel DMorf

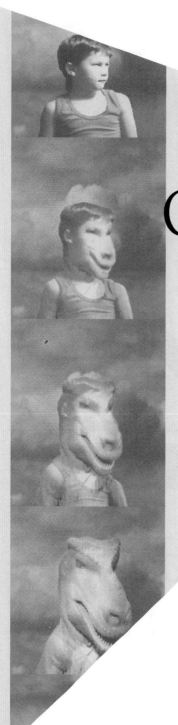

CHAPITRE 2

Didacticiel DMorf

Vous venez de faire connaissance avec l'historique et la théorie du morphing, mais vous n'avez pas encore mis les mains à la pâte. Dans ce chapitre, nous allons avoir la possibilité de relever nos manches et d'acquérir un peu d'expérience en morphing. Une fois que vous aurez achevé ce didacticiel, vous aurez réalisé une séquence d'animation de type morphing à partir de zéro.

Le processus de développement d'un morphing (et donc ce didacticiel) peut se décomposer en six étapes :

◆ Sélectionner deux fichiers images qui serviront d'image " avant " et d'image " après " pour le morphing.

◆ Charger les images que vous avez sélectionnées dans DMorf, le logiciel de morphing qui accompagne cet ouvrage.

◆ Créer le maillage de contrôle. Un programme de morphing a besoin que vous lui indiquiez les formes des objets dans les images. Pour cela, vous allez employer un maillage de contrôle dans DMorf.

◆ Générer et visualiser une brève animation basée sur vos images et le maillage de contrôle pour tester leurs adéquations.

◆ Comme tout n'est jamais parfait du premier coup, corriger certains problèmes mis en évidence dans le test précédent.

◆ Une fois que tous les problèmes ont disparu, générer une version finale, plus longue, de votre animation.

A vous de jouer maintenant !

Vérifiez que le répertoire dans lequel ont été copiés les outils de morphing se trouve bien dans votre chemin d'accès. Pour plus d'informations, reportez-vous au paragraphe d'installation du début de ce livre.

ÉTAPE 1 : SÉLECTION DES DEUX IMAGES

Avant d'effectuer un morphing, vous allez devoir choisir deux images, une " avant " et une " après ", sur lesquelles vous allez appliquer la transformation. Il faut quelquefois plus de temps pour sélectionner les bonnes images que pour effectuer le morphing lui-même. Il est possible d'utiliser du morphing sur pratiquement n'importe quel couple d'images, pourvu qu'elles aient la même taille. Mais il est plus facile de travailler sur des images qui ont des caractéristiques communes. Il vous faudra créer un maillage de contrôle qui fasse correspondre ces caractéristiques communes entre les images, et plus ces dernières sont dissemblables, plus il sera difficile de créer le maillage. Le résultat s'avérera aussi meilleur si les images ne sont pas trop différentes. Les portraits sont probablement les objets les plus faciles puisque la plupart des humains ont deux yeux, un nez, une bouche et un menton, tous à peu près à la même place.

Où trouver ces images ? Si vous ne disposez ni d'un scanner, ni d'un camescope avec une carte de numérisation vidéo, vous pouvez toujours télécharger des fichiers d'images à partir d'un BBS ou en acheter sous forme de disquettes ou de CD-ROMs. Si vous avez ce type de matériel, l'album de photos familial va devenir la meilleure source d'images. Nous parlerons plus en détail au chapitre 3 des techniques de scannérisation, de numérisation et de

Figure 2-1 Avant et après

téléchargement. Pour les besoins de ce chapitre, considérons que nous avons déjà choisi les images. La figure 2-1 les montre sous la forme de photographies scannérisées de mes deux cobayes préférés, mon neveu, Danny Dolmat, et mon beau-frère, George Dolmat.

ÉTAPE 2 : DMORF

Les instructions de ce didacticiel sont destinées à ceux qui utilisent un DOS classique. Si vous désirez travailler sous Microsoft Windows ou IBM OS/2, pour disposer de davantage de mémoire, vous devez d'abord ouvrir une fenêtre DOS. Sous Windows, cliquez sur l'icône MS-DOS. Sous OS/2, cliquez sur la fenêtre DOS Plein écran. L'appel système bien connu du DOS apparaît et le fonctionnement est alors exactement le même que si vous êtes directement sous DOS.

Une fois que vous avez sélectionné vos images, vous êtes prêt à lancer le programme de morphing. Passez dans le répertoire qui contient les fichiers

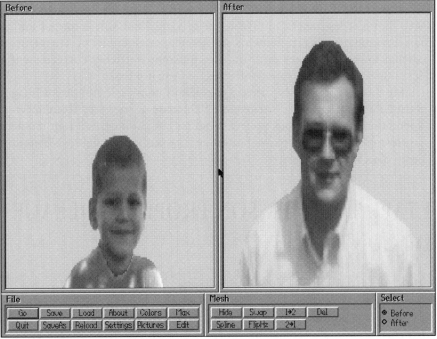

Figure 2-2 L'écran de DMorf

Figure 2-3 Fading

images. Dans ce didacticiel, nous allons appliquer du morphing à des images qui se trouvent sur les disquettes d'accompagnement, DANNY.TGA et GEORGE.TGA. Passez dans le répertoire CHAP2 en tapant :

```
cd\morphing\chap2
```

Une fois que vous êtes dans ce répertoire, vous pouvez lancer DMorf et commencer à mélanger les images. Entrez la commande DMorf puis les noms des fichiers images. Pour les besoins de ce didacticiel, entrez :

```
dmorf danny.tga george.tga
```

DMorf s'initialise, puis lit et affiche côte à côte les deux images. Notez que DMorf peut lire d'autres formats d'image que TGA, comme les fichiers GIF et IMG. Il affiche les images en niveaux de gris, quel que soit le format initial, mais effectue tous ses traitements sur les images en couleurs. De même, il redimensionne les images pour qu'elles puissent s'afficher correctement à l'écran mais ses résultats sont conformes au format initial.

DMorf utilise certaines valeurs par défaut comme le nombre d'images intermédiaires à créer, le format du fichier de sortie, etc. Comme vous l'apprendrez plus tard, vous pouvez modifier ces paramètres à tout moment mais restons aux valeurs par défaut pour cet exercice. La figure 2-2 montre l'écran d'accueil de DMorf.

ÉTAPE 3 : CRÉER SON PROPRE MAILLAGE DE CONTRÔLE

Avant d'exécuter DMorf, vérifiez que le pilote de souris est chargé.

Si vous désirez poursuivre et cliquer directement sur le bouton GO, à ce stade, DMorf tenterait d'effectuer un morphing entre ces deux images et vous obtiendriez le résultat, plutôt pitoyable, de la figure 2-3 : un simple mélange,

ou fading, entre les deux images. Le fading n'est qu'une partie du morphing. L'autre partie, la déformation, nécessite un maillage de contrôle.

Un *maillage de contrôle* est une sorte de grille de lignes qui connectent des points correspondants sur les deux images. Il est possible de déplacer ces points d'intersection afin que les lignes suivent les contours des objets de vos images. Ceci permet de définir la géométrie des scènes pour que DMorf sache quoi déplacer et où.

Vous pouvez ajouter des lignes à ce maillage de contrôle en déplaçant le curseur sur le cadre d'une des images et en cliquant sur le bouton droit de la souris. On obtient ainsi une ligne, soit verticale, soit horizontale, qui passe par le point cliqué. La figure 2-4 montre les fenêtres DMorf après l'ajout d'une ligne verticale.

Figure 2-4 Ajout d'une ligne verticale

Ajoutez deux lignes verticales supplémentaires, une de l'autre côté du visage et l'autre au milieu. Pour ajouter une ligne horizontale, placez-vous sur le cadre à droite ou à gauche et cliquez sur le bouton droit de la souris. La figure 2-5 montre le résultat de cette manipulation.

Qu'avons-nous obtenu ? Quelques lignes sur les images. Pour contrôler le processus de morphing, les lignes doivent suivre les contours des objets de la scène. Pour cela, vous devez déplacer les points d'intersection du maillage pour qu'ils identifient les points-clés de l'image.

Déplacez simplement le curseur de la souris pour qu'il pointe sur l'une des intersections et cliquez sur le bouton gauche. Tout en maintenant ce bouton appuyé, déplacez la souris. Le point d'intersection se déplace. Une fois que sa position vous satisfait, relâchez le bouton. La figure 2-6 montre les images et leur maillage de contrôle une fois quelques points placés sur le menton de Danny.

Bien sûr, ces intersections ne vont pas être les mêmes sur les deux images. Vous devez les déplacer pour qu'elles couvrent les mêmes caractéristiques sur les deux images. Si l'intersection de la ligne horizontale la plus basse avec la ligne verticale du milieu sur l'image de gauche correspond au menton de Danny, il doit en être de même sur la deuxième image, c'est-à-dire sur le

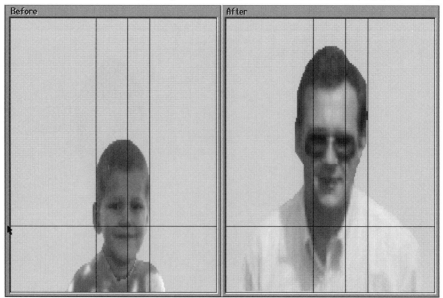

Figure 2-5 Ajout d'une ligne horizontale

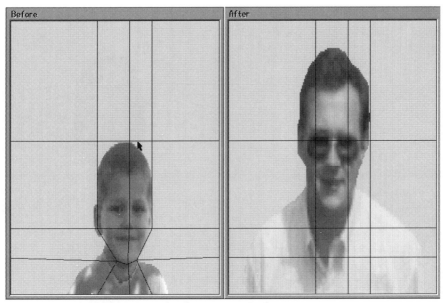

Figure 2-6 Déplacement des lignes verticales

menton de George. La figure 2-7 montre le maillage après que les points d'intersection ont été correctement placés sur les deux images.

Pour l'instant, nous n'avons travaillé que sur la forme générale des visages. Pour créer un effet de morphing convaincant, vous devez en faire plus. Ajoutez quelques lignes supplémentaires et faites-les correspondre à des traits ou à des contours particuliers des visages. La figure 2-8 montre les maillages une fois que les épaules, la chevelure, le nez, le cou et la bouche ont été identifiés.

Comme il est difficile de faire correspondre une ligne droite ou brisée à une courbe, DMorf emploie en réalité des lignes courbes, appelées *splines,* pour connecter les points d'intersection. Comme ces courbes prennent plus de temps pour s'afficher à l'écran, DMorf ne les utilise pas lorsque vous créez ou modifiez des points. Il attend le moment où vous allez effectuer le morphing. Il suffit pourtant de cliquer le bouton Spline, au bas de l'écran, pour se faire une idée du maillage réel, comme le montre la figure 2-9.

Une spline est une courbe définie par un nombre de points limité. Grâce à ces points, dits de contrôle, et à une équation mathématique, un programme peut calculer les autres points qui constituent la courbe. Il existe plusieurs

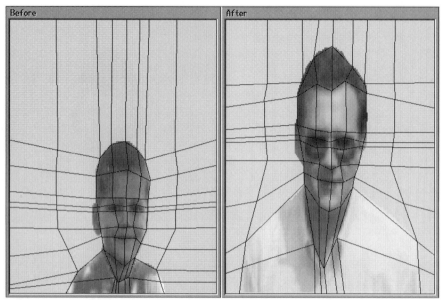

Figure 2-7   Association des caractéristiques

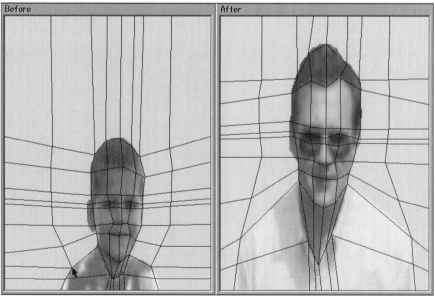

Figure 2-8   Un maillage plus fin

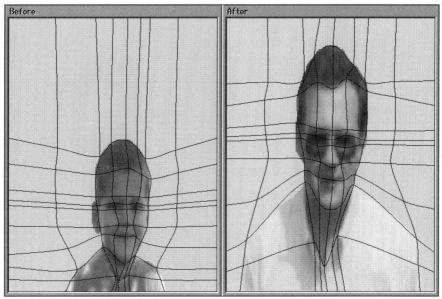

Figure 2-9 Vue en mode Spline

types de splines, en surface ou en volume. Certaines utilisent une *approximation* : la courbe passe près de chaque point, mais pas obligatoirement sur. D'autres emploient une *interpolation* : la courbe passe sur chaque point qui la définit. DMorf utilise une sorte de spline 2-D à interpolation, connue sous le terme *spline Catmull-Rom.*

Lorsque nous affichons les splines définies par ces points de contrôle, quelques problèmes apparaissent. Certaines courbes, et en particulier celles proches des épaules et du haut de la tête de George, ne suivent pas réellement les vrais contours. Nous devons y apporter quelques modifications. Pour cela, il faut ajouter quelques lignes supplémentaires pour définir davantage de points d'intersection, puis repasser en mode Spline pour vérifier le résultat. Les oreilles posent aussi un autre problème. Il suffit d'ajouter une autre ligne et de déplacer les intersections. La figure 2-10 montre un maillage beaucoup plus fin pour les deux images. La figure 2-11 est identique à la précédente, mais en mode Spline.

Maintenant que nous disposons d'un maillage correct, nous sommes presque prêts à passer au morphing. Il est temps de sauvegarder notre travail. Quelquefois, des événements imprévus peuvent survenir : un chat qui

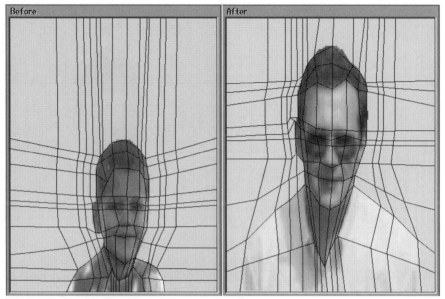

Figure 2-10 Un maillage encore plus fin

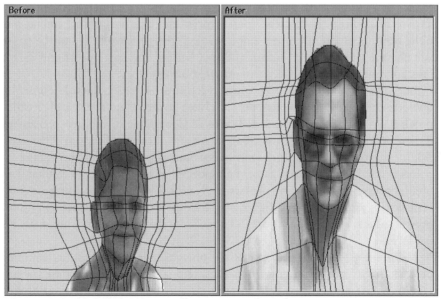

Figure 2-11 Le nouveau maillage en mode Spline

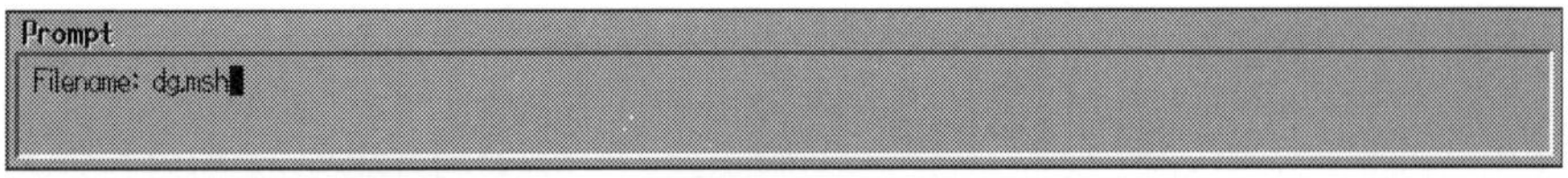

```
Prompt
Filename: dg.msh▌
```

Figure 2-12 Sauvetage du maillage

réinitialise votre ordinateur en sautant sur le clavier, une coupure d'électricité et, bien que ce soit rare, un blocage de DMorf qui vous renvoie violemment à l'appel système du DOS. Cliquez donc sur le bouton Save dans le menu. DMorf affiche alors la fenêtre de dialogue de la figure 2-12.

Entrez un nom de fichier pour le maillage, DG.MSH par exemple, et appuyez sur ENTREE. La première partie du nom du fichier contient jusqu'à huit caractères mais doit rester facile à retrouver. Dans ce cas, " D " pour Danny et " G " pour George facilitent une éventuelle recherche postérieure. L'extension doit toujours être .MSH. DMorf sauvegarde à la fois les maillages et tous vos paramètres.

ÉTAPE 4 : TESTER LE MORPHING

Cliquez simplement sur le bouton Go dans le menu, et DMorf va faire son travail. Pour chaque trame (le nombre de trames est basé sur la valeur définie dans le menu), DMorf va créer un maillage intermédiaire à partir des deux que vous avez créés et déformer les images pour s'y conformer. Il va aussi faire une moyenne des couleurs des deux images. Pendant le processus de morphing, votre écran devrait ressembler à celui de la figure 2-13.

Si votre ordinateur est assez rapide et dispose d'un coprocesseur mathématique, c'est l'affaire d'une minute ou deux. Sinon, cela peut être relativement long. Une fois terminé, vous obtenez cinq images, au format Targa, qui correspondent aux trames entre DANNY.TGA et GEORGE.TGA. Elles s'appellent MORF0001.TGA, MORF0002.TGA, jusqu'à MORF005.TGA. Quittez DMorf en cliquant sur le bouton Quit.

Génération d'un flic

Les images que vous venez d'obtenir ne servent pas à grand-chose si elles ne sont pas assemblées sous la forme d'un fichier animation au format flic. Grâce à DTA (Dave's TGA Animator), le second programme qui accompagne cet ouvrage, il est possible de compiler ces fichiers TGA en un fichier d'animation flic. Le chapitre 4 parle en détail de ce logiciel, mais vous n'avez pas besoin de

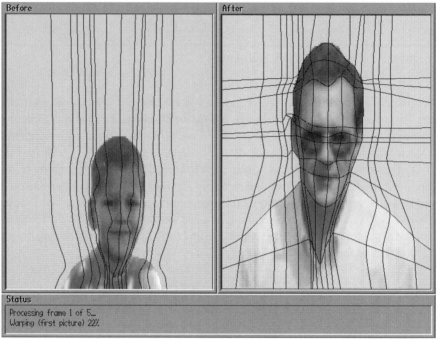

Figure 2-13 Le morphing est terminé

connaître toutes ses options pour générer un flic. Pour l'instant, entrez simplement cette commande sous le répertoire MORPHING\CHAP2 :

```
dta morf*.tga /omorph1
```

Le premier paramètre demande à DTA de lire tous les fichiers du répertoire courant qui commencent par les lettres " MORF ". Il n'y a aucune option de format de fichier (/F) dans la ligne, si bien que le programme créera un format

Figure 2-14 Résultats du morphing

flic par défaut. L'option /O demande à DTA d'utiliser " morph1 " comme nom du fichier résultat. On obtiendra donc MORPH1.FLI.

Affichage du flic

Une fois le fichier flic obtenu, il est nécessaire d'utiliser un outil de visualisation pour voir le résultat. Le programme Play de Trilobyte est livré avec ce livre. Le chapitre 4 présentera complètement ce logiciel, mais vous pouvez dès à présent l'utiliser pour voir les résultats de votre morphing. Pour cela, entrez la commande :

```
play morph1.fli
```

Ralentissez l'affichage grâce à la touche 5. Vous devriez obtenir les images de la figure 2-14. Pour quitter l'animation, appuyez sur ESC.

ÉTAPE 5 : OPTIMISATION DU MAILLAGE

Une fois le résultat visualisé, il y a des chances pour que vous ayez remarqué quelques problèmes mineurs. Certains objets ne s'alignent pas vraiment, en particulier les cheveux du haut du crâne. Il faut donc revenir à DMorf pour y remédier. Vous pourriez lancer DMorf comme auparavant puis employer le bouton Load pour charger les maillages que vous aviez sauvegardés. Il est toutefois plus rapide d'entrer directement le nom du fichier maillage au niveau de la ligne de commande, sans préciser les noms des fichiers images :

```
dmorf dg.msh
```

DMorf va s'exécuter et vous ramener au niveau de l'étape 3, avec les deux images côte à côte et les maillages superposés. Il est difficile d'apprécier quelles pourraient être les améliorations possibles à apporter au

maillage, parce que les points semblent assez bien définir les formes. Il faut un examen plus approfondi. Appuyez sur le bouton Max grâce à la souris pour que DMorf affiche une vue plein-écran de la fenêtre de gauche (voir figure 2-15).

Comme l'image est plus grande que la vue normale, mais que l'épaisseur des lignes du maillage reste identique, il est plus facile de voir les améliorations nécessaires. Il est aussi plus facile de contrôler avec une meilleure précision l'emplacement des points. Ainsi, il apparaît que les points de contrôle autour de l'oreille ne délimitent pas correctement cette forme. Quelques modifications sont aussi nécessaires autour de la tête.

Passez en vue maximisée pour l'autre image en cliquant sur le bouton Other (voir figure 2-16).

Le problème majeur se situe au sommet de la tête : les lignes ne sont que des segments de droite. Il n'y a pas assez de points de contrôle pour que la courbe s'ajuste à la forme : il faut ajouter de nouvelles lignes verticales. Mais les lignes du haut de la tête n'étaient pas toutes aussi éloignées. Ainsi,

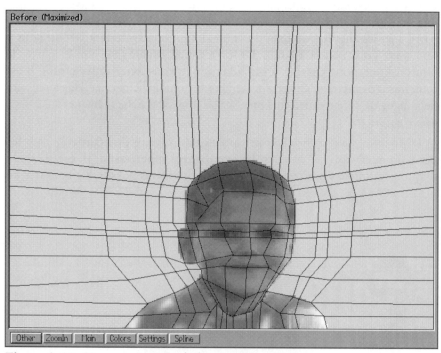

Figure 2-15 Vue maximisée de la première image

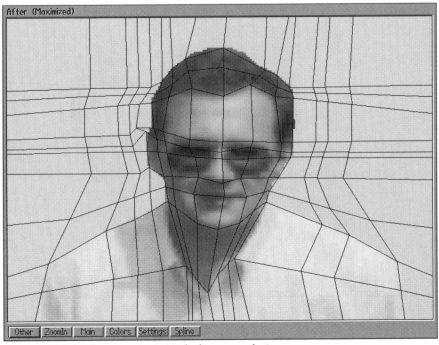

Figure 2-16 Vue maximisée de la seconde image

pourquoi, lorsque nous avons lancé le test de morphing, y avait-il plus de cheveux à ce niveau ? Probablement parce que la tête de George est plus proche du haut de l'image que celle de Danny. L'espace restreint entre le haut du crâne de George et le haut de l'écran est étiré pour remplir plus d'espace. Vous pouvez éviter ce phénomène en ajoutant une nouvelle ligne horizontale très proche de la tête. Seuls les pixels du fond de l'image (et non ceux de la chevelure) seront alors déformés. La figure 2-17 montre le maillage modifié de cette manière, en mode Spline.

Sauvegardez le maillage sous un nouveau nom de fichier, par exemple DG2.MSH, et cliquez sur le bouton Go. Une fois le morphing terminé, quittez DMorf et exécutez DTA sur les nouveaux fichiers TGA. Comme le montre la figure 2-18, le résultat est plus agréable à l'œil.

Si vous êtes satisfait du résultat, passez à l'étape 6 suivante. Sinon, modifiezune nouvelle fois le maillage.

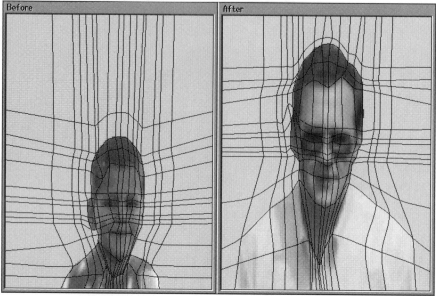

Figure 2-17 Vue en mode Spline

ÉTAPE 6 : LE MORPHING FINAL

Jusqu'à maintenant et pour les besoins de nos tests, nous n'avions créé que 5 trames dans la séquence de morphing. C'est largement suffisant pour tester l'aspect du morphing, mais généralement pas assez pour obtenir une belle animation. On peut noter des sauts entre chaque trame, comme sous l'effet d'un stroboscope. La télévision travaille à 25 trames par secondes. Un morphing de 10 secondes nécessiterait 300 trames, ce qui consommerait

Figure 2-18 Le morphing final

beaucoup d'espace disque et de temps de calcul. La plupart des ordinateurs ne peuvent pas supporter un tel débit. Ainsi, nous n'avons pas besoin d'une telle qualité. Cinquante trames donnent déjà un très bon résultat et 20 correspondent à une bonne moyenne.

Poursuivons ce didacticiel et essayons d'améliorer notre exemple. Rechargez les images et les maillages dans DMorf :

```
dmorf dg.msh
```

Cliquez maintenant sur le bouton Settings dans le menu File. DMorf va afficher la fenêtre de dialogue Settings qui comprend une case nommée Frames. Cliquez sur cette case pour que DMorf y place le curseur et vous permette d'y entrer une valeur. Si vous disposez d'un ordinateur rapide et d'un coprocesseur, entrez 50 puis appuyez sur ENTREE. Sinon, il vaut mieux se limiter à 15 ou 20, sous peine d'attendre la fin du siècle pour obtenir le résultat. Cliquez sur le bouton Done pour fermer la fenêtre de dialogue Settings. Revenez à l'écran principal, cliquez sur le bouton Go puis patientez pendant que DMorf effectue ses calculs. Vous pouvez aussi aller prendre un café ou tondre la pelouse. Une fois l'opération terminée, quittez DMorf et entrez cette longue commande DTA :

```
dta danny.tga morf*.tga george.tga /p /omorph2 /s5
```

Vous devez donner les noms des images de départ et d'arrivée, ainsi que des nouveaux fichiers, parce que DMorf ne crée que les images intermédiaires. L'option /P demande à DTA de créer un fichier flic de type ping-pong, c'est-à-dire qu'une fois l'effet visualisé dans un sens, l'animation repart dans l'autre sens. Le paramètre /O donne le nom MORPH2.FLI au fichier résultat tandis que /S5 fixe la vitesse à 5. Ceci signifie que l'affichage s'effectue à la cadence d'une trame toutes les 5/70e de seconde.

Visualisez le nouveau MORPH2.FLI et comparez le résultat au fichier MORH1.FLI. L'animation est de meilleure qualité, grâce aux trames supplémentaires. Vous pouvez appuyer sur ESC pour quitter cette animation.

Si le fichier flic est visualisé trop lentement ou trop rapidement, il faut modifier la valeur de l'option /S de DTA. Vous pouvez aussi agir directement sur Play, comme vous l'avez fait à l'étape 4 (touches numériques), mais cette modification n'est pas permanente.

Pour changer la vitesse de manière définitive, il faut entrer de nouveau la commande DTA avec une valeur différente pour le paramètre /S. Mais ce processus est relativement long. Il y a heureusement un autre moyen pour modifier directement ce paramètre sans relancer la génération du fichier : l'utilitaire FLISPEED.EXE que vous trouverez dans le répertoire C:\MORPHING\TOOLS. FLISPEED peut changer la vitesse d'exécution d'un fichier FLI ou FLC sans le regénérer. Il est très rapide car il ne modifie qu'un nombre. Entrez la commande FLISPEED avec le nom du fichier à modifier et la nouvelle valeur pour la vitesse :

```
flispeed morph2.fli /S4
```

FLISPEED va modifier presque instantanément le fichier flic. Visualisez le résultat et relancer FLISPEED/PLAY jusqu'à ce que vous obteniez le résultat désiré.

RÉSUMÉ

Dans ce chapitre, vous avez appris comment utiliser les outils de base du morphing. Vous savez maintenant ce qu'est un maillage et comment le construire. Vous venez de créer un morphing simple, vous avez généré un fichier flic et vous l'avez visualisé. Ce qui est peut-être le plus impressionnant, c'est que vous avez transformé un enfant de 6 ans en un adulte de 30 ans et réciproquement ! Quelle journée ! Ponce de León a recherché vainement toute sa vie la fontaine de jouvence sans jamais la trouver.

Il est temps maintenant d'aller plus loin et d'apprendre quelques techniques plus complexes. Grâce à quelques astuces, simples mais efficaces, vous allez créer de superbes effets spéciaux sur votre ordinateur.

3

Techniques
et astuces

CHAPITRE 3

Techniques et astuces

I
l est facile d'apprendre rapidement les rudiments du morphing. Vous venez de voir les étapes de base nécessaires à la transformation d'une image en une autre. Mais ce n'est que grâce à certaines améliorations que vous obtiendrez des résultats à couper le souffle. Tout comme un grand chef peut transformer le moindre morceau de viande en mets pour gourmet, quelques trucs et astuces bien placés peuvent changer un simple morphing en une transformation étonnante.

Vous pouvez employer les mêmes actuces que celles des professionnels. Dans ce chapitre, vous allez apprendre comment optimiser le processus de développement, de nouveaux effets spéciaux, et comment peaufiner vos morphings. Maintenant que vous connaissez les bases de la création d'un morphing, vous êtes prêt à passer la vitesse supérieure. Vous allez apprendre comment :

◆ Capturer vos propres images.

◆ Accélérer le processus de développement des morphings.

◆ Mieux appréhender les différences d'éclairage et de contraste.

◆ Supprimer tous les détails sans importance, en particulier au niveau de l'arrière-plan.

◆ Créer des caricatures, des objets en mouvement et toutes autres déformations particulières.

◆◆ Chaîner plusieurs morphings pour former une seule séquence.

◆◆ Générer une sortie vidéo de votre travail.

SOURCES

La disquette qui accompagne cet ouvrage contient un certain nombre de fichiers images, qui servent de compléments aux exemples du texte. Mais ils ne suffiront probablement pas à votre appétit créatif. Lorsque vous voudrez créer vos propres morphings, vous aurez besoin d'images qui correspondent à vos propres goûts artistiques. Vous voudrez transformer les membres de votre famille, vos amis, vos animaux familiers et vos collègues de travail. Voyons comment trouver ou créer toutes ces images.

Scannérisez-les

Un scanner est probablement l'option la plus utile que vous devriez ajouter à votre système pour vous aider à créer de nouvelles images. Grâce à lui, vous pouvez convertir vos photographies et vos dessins en fichiers images. Avec un scanner à plat, vous pouvez placer une feuille de papier ou un livre ouvert face contre la vitre et en récupérer l'image grâce au logiciel fourni avec le scanner. La figure 3-1 montre un tel scanner, un Hewlett-Packard ScanJet IIc. Les prix des scanners couleurs et à plat commencent à 6 000 F. Le modèle présenté tourne autour de 10 000 F dans les catalogues de vente par correspondance.

Avec un scanner à main, vous devez déplacer vous-même sur la page le scanner, qui ressemble à une grosse souris. Cela coûte beaucoup moins cher qu'un scanner à plat (à partir de 500 F pour un modèle 32 niveaux de gris et environ 3 000 F pour un modèle couleur de bonne qualité). Cependant, leur utilisation est limitée à la saisie de petites images et ils nécessitent une bonne habitude pour que les résultats soient à la hauteur de l'attente. La figure 3-2 montre un scanner à main.

Numériseurs vidéo

La vidéo est aussi une source importante d'images. Grâce à une carte de numérisation vidéo, vous pouvez connecter votre ordinateur à votre magnétoscope ou à votre camescope et récupérer sur votre ordinateur

Figure 3-1 Scannérisation avec un scanner à plat

Figure 3-2 Un scanner à main en action

n'importe quelle image qui s'affiche sur votre télévision. La qualité de l'image ne sera pas aussi bonne qu'avec un scanner parce que les signaux de la télévision offrent une moins bonne résolution, mais il est souvent plus facile de filmer puis de capturer une image que d'en prendre une photo, la faire développer puis la scannériser.

Par exemple, la carte PC-Hurricane Moviegrabber, au format demi-longueur, se connecte facilement à votre équipement vidéo grâce à un câble standard RCA/Cinch. Deux programmes de capture sont fournis, l'un sous

DOS, l'autre sous Windows. Chacun capture une série d'images sous 16 bits. Le nombre de trames qu'ils peuvent mémoriser est limité par la taille de la fenêtre (384 x 288 en PAL) et la quantité de mémoire disponible. Vous pouvez stocker ces images sous forme de fichiers BMP (sous la version Windows) ou TGA (version DOS).

D'autres produits sont disponibles chez d'autres fabricants comme la VideoSpigot for Windows de Creative Labs ou la ProMovie Studio de MediaVision.

Une astuce intéressante lors de la création de cet ouvrage a constitué à enregistrer un objet sous différentes positions puis à capturer simultanément 200 trames environ. Il suffit ensuite de choisir celles qui donnent le meilleur résultat. N'hésitez pas à gâcher de la bande magnétique : vous pourrez toujours la réutiliser ultérieurement ; ce n'est pas de la pellicule.

Images de synthèse

Si vous ne voulez pas manipuler des objets réels, il vous reste toujours la possibilité de créer des images de synthèse grâce à un programme de *rendering* ou " lancer de rayon ". Ce type de logiciel vous permet d'obtenir des images réalistes de qualité presque photographique à partir de simples modèles 3-D. Voici quelques exemples des programmes le plus couramment rencontrés : 3-D6Studio (AutoDesk), 3-D WorkShop (Presidio) et Playmation de Will Vinton (Hash Entreprises). Il existe aussi des freewares ou des softwares comme POV-Ray, qui est présenté dans plusieurs ouvrages de Waite Group Press (distribué en France par les Editions Eyrolles), PolyRay d'Alexander Enzmann, décrit lui aussi dans plusieurs ouvrages de cet éditeur, et Vivid de Stephen Coy. Tous se trouvent sur le forum GRAPHDV de Compuserve et sur bien d'autres BBS. La figure 3-3 montre un exemple de ce type d'image de synthèse.

BBS et serveurs Minitel

Si vous disposez d'un modem et d'un logiciel de communication, vous pouvez accéder d'un simple coup de fil à d'énormes bibliothèques d'images. Il existe des centaines de BBS que vous pouvez appeler en France et des milliers dans le monde. Certains offrent des accès gratuits, d'autres nécessitent des abonnements mensuels ou annuels. Nombreux sont ceux qui offrent des répertoires avec des milliers d'images au format très répandu GIF, prêtes à être téléchargées. N'hésitez pas à demander à votre revendeur les numéros de

Figure 3-3 Image générée par PolyRay

téléphone des BBS de votre région. Une fois que vous aurez accédé à un BBS, vous obtiendrez certainement d'autres numéros.

N.D.T. : De même, il existe maintenant en France de nombreux serveurs Minitel, en particulier ceux dont les revues spécialisées font la promotion.

Compuserve, un service au niveau mondial, a une énorme collection de fichiers GIF dans son forum Graphics (employer la commande GO GRAPHICS pour y accéder). Ce service est facturé selon votre durée de

Copyright & Droits d'auteur

Si vous ne modifiez des images que pour le plaisir et que vous limitez la diffusion de vos résultats au cercle de vos amis et de votre famille, vous pourrez faire ce que vous voulez des images que vous avez scannées ou téléchargées. Mais si vous souhaitez en faire un usage commercial ou simplement déposer vos œuvres sur un BBS, vous devez veillez à ne pas enfreindre les lois sur la propriété intellectuelle. Les images des magazines, les films vidéo ou les émissions télévisées et toute œuvre d'art *appartiennent* à leurs auteurs et ces derniers en ont des droits de propriété. Si vous employez des images que vous n'avez pas scannées à partir de vos propres photographies, que vous n'avez pas créées sous forme d'images de synthèse et qui ne sont pas connues comme étant du domaine public, ou que vous n'avez pas obtenu le droit de les employer, alors n'y touchez pas, sauf si c'est pour votre plaisir personnel.

connexion et peut donc s'avérer plus onéreux que les BBS. Toutefois, la quantité et la qualité des fichiers sont inégalées. Il n'est pas rare de trouver un livret joint à votre modem ou à votre logiciel de communication, qui vante les mérite de Compuserve et vous présente les modalités d'adhésion. Si ce n'est pas le cas, votre revendeur dispose certainement de kits d'adhésion.

D'autres services de ce type existent, comme America OnLine, BIX (Byte)ou Genie. Prodigy n'accepte, hélas, pas le téléchargement.

CD-ROMs

Certaines sociétés éditent des bibliothèques d'images sous forme de CD-ROMs. Si vous disposez d'un lecteur de CD-ROM, vous pouvez acquérir des centaines de mégaoctets de fichiers images. Vous les trouverez dans la plupart des magasins spécialisés, mais aussi en vente par correspondance. Ces images ont des sources diverses : les archives des éditeurs de magazines ou simplement des fichiers de BBS. Vérifiez bien sur les emballages quelles sont les limitations d'utilisation, au sens légal du terme, de ces images.

ACCÉLÉRATION DU TRAITEMENT

Au fur et à mesure de vos tests avec DMorf, vous allez découvrir que le morphing peut être un processus relativement long. Même si vous disposez d'un ordinateur rapide, il vous faudra des heures pour générer une séquence complète. Cependant, si vous acceptez une certaine baisse de qualité, il existe des moyens pour accélérer le processus. En général, faites tous vos tests avec les paramètres et les options les plus simples. Une fois que vous êtes satisfait du résultat, relancez le morphing avec les options qui donnent les meilleurs résultats et allez vous coucher. Voici quelques astuces pour optimiser les temps de traitement :

◆ *Créer le moins de trames possible.* Même si vous avez l'intention de générer une animation de 100 trames, cela ne signifie pas que vous allez générer les 100 trames à chaque test. Choisissez plutôt 4 ou 5 dans la case Frames et ne passez à 100 que lorsque vous êtes sûr du résultat et que vous désirez produire le morphing final.

◆ *Commencer petit.* Plus les images sont grandes, plus DMorf prendra du temps pour les traiter. Des images en 640 x 480 prennent presque cinq fois plus de temps que des images en 320 x

200 et 19 fois plus que des images en 160 x 100. Ainsi, lorsque vous optimisez votre maillage, travaillez sur des versions basse définition des images. Utilisez DTA (Dave's Targa Animator, présenté au chapitre 4) pour changer la taille des images :

```
dta image1.tga /sc160,100 /ft /opetit1
```

```
dta image2.tga /sc160,100 /ft /opetit2
```

◆ L'option /SC permet de passer la taille des images à 160 x 100 pixels. L'option /FT demande à DTA de créer un fichier résultat au format Targa et non au format flic, format par défaut. DTA va donc créer deux nouvelles versions de vos images, OPETIT1.TGA et OPETIT2.TGA. Il suffit ensuite de valider le maillage sur ces petites images, de tester le morphing puis de ne repasser aux images initiales que pour le morphing final.

◆ *Employer les paramètres les plus rapides.* Le panneau de contrôle Morphing Switches comporte des valeurs par défaut qui donnent de bons résultats avec DMorf, mais qui peuvent ralentir considérablement le processus. L'option Smooth Resampling est tout particulièrement consommatrice de ressources, si bien que vous ne devez pas hésiter à l'inhiber pendant vos tests. Les trames seront peut-être moins belles, mais vous les obtiendrez plus rapidement.

ÉCLAIRAGE

Lorsque vous effectuez un morphing entre deux objets, il est important de s'intéresser à l'éclairage des deux scènes. Le morphing revient à créer une illusion et rien ne doit perturber l'effet. C'est comme un tour de magie : l'effet est annulé si quelqu'un oublie de fermer la trappe secrète ou si la manche du magicien laisse échapper quelques cartes. Il peut être déconcertant de voir une ombre disparaître à gauche d'un visage et réapparaître à droite de l'image finale, ou simplement de passer d'un objet brillamment éclairé à un objet dans l'ombre. Le remède le plus simple à de tels problèmes consiste à commencer avec des images qui ont le même éclairage. Si cela s'avère difficile, vous pouvez essayer de retoucher vos images.

Si une de vos images est beaucoup plus sombre ou claire que l'autre, vous pouvez modifier sa luminosité. Pour cela, utilisez la fonction /GA de DTA (gamma-correction) pour éclairer ou assombrir l'image. Nous y reviendrons au chapitre 4. Si vous possédez un logiciel plus général de retouche ou de création d'images, comme PhotoShop d'Adobe ou PhotoFinish de Zsoft, vous disposez d'outils beaucoup plus sophistiqués. Par exemple, PhotoShop offre pas moins de six méthodes différentes pour modifier la chromie, la luminosité et le contraste.

Si c'est un problème d'orientation de l'ombre, vous pouvez renverser horizontalement une des images. Dans DMorf, vous pouvez employer le bouton Edit pour passer en mode édition, cliquer sur le bouton FlipH pour renverser l'image puis sur le bouton Save pour sauvegarder le fichier. Vous pouvez aussi cliquer sur SaveAs si vous souhaitez sauvegarder l'image ainsi modifiée sous un nom de fichier différent. Les programmes de traitement d'images, tels que ceux que nous avons évoqués au paragraphe précédent, disposent aussi de nombreuses fonctionnalités de ce type. Evidemment, cette astuce ne fonctionne que si les images ont une certaine symétrie.

Si vous avez PhotoShop, vous pouvez aussi essayer de supprimer totalement les ombres. Ce logiciel vous permet en effet d'utiliser votre souris pour éclairer ou assombrir certaines zones de votre image.

LE PROBLÈME DE L'ARRIÈRE-PLAN

Un autre problème de taille est que le programme de morphing ne peut pas comprendre la différence entre le premier plan d'une image et son arrière-plan. Tout le contenu de l'image subira en effet le morphing. Même si deux images ont des arrière-plans identiques, l'effet de morphing et donc de déformation et

Figure 3-4 Morphing d'une sphère vers un cube gâché par l'arrière-plan

d'atténuation se fera sentir sur ceux-ci, comme le montre la figure 3-4. L'effet peut être désastreux.

La solution la plus simple consiste à modifier l'arrière-plan de votre image avec un éditeur graphique. Vous pouvez employer des outils professionnels comme PhotoShop ou PhotoFinish mais n'importe quel programme de dessin, y compris PaintBrush qui est livré avec Microsoft Windows, peut très bien faire l'affaire. Il suffit de " peindre " l'arrière-plan avec une couleur déterminée, de sauvegarder et de lancer le morphing. La figure 3-5 montre le résultat, bien meilleur cette fois-ci ! Mais il n'y a plus d'arrière-plan...

Une autre solution qui s'avère plus difficile, mais dont les résultats valent les efforts supplémentaires nécessaires, consiste à rendre l'arrière-plan transparent et à lui rajouter, comme avec un calque, les objets qui ont subi le morphing. La méthode traditionnelle de représentation des couleurs des pixels, le système RGB (ou RVB en français), souvent codé sous 24 bits, utilise trois valeurs distinctes pour enregistrer les composantes rouge, verte et bleue et permet à votre ordinateur de définir pratiquement n'importe quelle couleur. DMorf emploie une méthode différente, nommée RGB α, qui utilise quatre valeurs codées sur un octet. Les trois premières correspondent à leurs homologues du système RGB, mais le dernier, l'octet *alpha*, représente la transparence. Cet octet supplémentaire pour chaque pixel s'appelle habituellement le *canal alpha*, ou un *masque*. Le processus de calque d'une image à canal alpha sur une autre image se nomme la *composition*. Lorsque vous utilisez DTA pour composer des images, il effectue des calculs sur cet octet alpha pour décider comment composer et mélanger chacune des images pour en créer une nouvelle, pixel par pixel. Si la valeur alpha d'un pixel est nulle, le pixel ne sera employé qu'en arrière-plan. Si elle vaut 255, le pixel sera au premier plan. Sinon, les deux pixels seront mélangés.

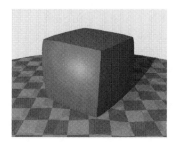

Figure 3-5 Morphing d'une sphère vers un cube, sans arrière-plan

Le format de fichier Targa (sous codage 32 bits) est l'unique format à canal alpha supporté par DMorf et DTA. Targa est codé sous 32 bits (4 octets par pixels) pour les trois octets par couleur élémentaire, plus l'octet de codage alpha. Que les utilisateurs de 80286 se rassurent : le nombre de bits par pixels n'a *aucun* rapport avec le nombre de bits que traite simultanément votre processeur.

Création d'images avec transparence

Quelques programmes d'images de synthèse, tels que 3-D-Studio d'Autodesk et le shareware PolyRay d'Alexander Enzmann peuvent générer des fichiers images qui contiennent des informations de transparence (dans un canal alpha) afin de masquer l'arrière-plan. Tout ce que vous avez à faire consiste à demander au programme de créer un fichier Targa 32 bits et à ne rien placer en dehors des objets de premier plan.

Ajout de la transparence à des images existantes

Certains programmes de retouche ou de traitement d'images, tels que PhotoShop d'Adobe, vous permettent d'ajouter des masques alpha à vos images. Tout le monde ne peut pas s'offrir de tels outils et c'est pourquoi DMorf contient une fonctionnalité équivalente. Cette dernière ne se prétend pas aussi sophistiquée que celle de PhotoShop mais peut faire l'affaire dans la plupart des cas. Il existe deux méthodes pour traiter les arrière-plans.

Dessin du masque

Nous allons commencer avec une image de mon neveu Danny et de ma nièce Sarah (fichier D&S.TGA). Plus loin dans ce chapitre, nous allons transformer Danny en Sarah et réciproquement et simultanément.

Au niveau de l'écran principal de DMorf, cliquez sur le bouton Edit. DMorf va charger l'image en mémoire (si ce n'est pas déjà fait grâce à l'option /PRELOAD) et l'afficher en mode plein-écran sans maillage de contrôle. Au niveau de l'écran Edit, vous pouvez sélectionner une zone rectangulaire que vous pouvez rendre transparente. Déplacez le curseur sur le coin de la zone que vous désirez masquer et cliquez avec le bouton gauche. Maintenez le bouton appuyé et déplacez le curseur pour délimiter la zone qui vous intéresse. Comme le montre la figure 3-6, DMorf dessine la zone sélectionnée.

Lorsque vous relâchez le bouton, DMorf va modifier cette zone et la rendre transparente. Les pixels de cette zone sont affichés avec la couleur Alpha Color de la fenêtre de dialogue Colors (voir figure 3-7).

Dessinez d'autres rectangles pour masquer le reste de l'arrière-plan. Ne vous approchez pas trop des limites des objets du premier plan car vous risquez de " mordre " sur ces objets.

Vous pourrez affiner vos sélections ultérieurement. La figure 3-8 montre le résultat au bout de quelques sélections.

Une fois que vous avez rempli grossièrement toutes les zones, il est temps de passer en mode Zoom. Cliquez sur le bouton ZoomIn au bas de l'écran. Déplacez le curseur sur la zone que vous voulez affiner puis déplacez la souris en maintenant le bouton appuyé. Ceci a pour effet de faire apparaître un rectangle de sélection (voir figure 3-9).

Lorsque le rectangle couvre la zone sur laquelle vous désirez zoomer, relâchez le bouton de la souris. DMorf effectuera un zoom sur la zone sélectionnée (voir figure 3-10). Vous pouvez maintenant employer la souris pour masquer sélectivement chaque pixel.

Déplacez le curseur sur un pixel qui ne fasse par partie de la tête de Danny et cliquez sur le bouton de la souris. DMorf va rendre ce pixel transparent et lui attribuer la couleur Mask Color. La figure 3-11 montre la zone sélectionnée avec l'arrière-plan rendu presque entièrement transparent.

Figure 3-6 Sélection d'une zone à masquer

Figure 3-7 Zone masquée

Une fois que vous avez terminé de masquer les pixels de l'arrière-plan dans la zone sélectionnée, cliquez sur le bouton ZoomOut en bas de l'écran pour revenir à l'écran d'édition en mode normal. Cliquez de nouveau sur ZoomIn pour sélectionner une autre zone et éditer les pixels nécessaires. La figure 3-12 montre l'image de Danny et Sarah entièrement traitée pour faire disparaître l'arrière-plan.

Figure 3-8 Image partiellement masquée

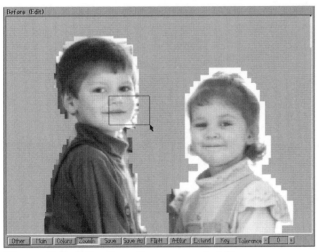

Figure 3-9 Sélection d'une zone à éditer

Sauvegardez votre travail en cliquant sur le bouton SaveAs et en tapant DSL.TGA comme nom de fichier.

Sélection chromique

Une autre manière de traiter le " problème de l'arrière-plan " est exploitée par les bulletins météo télévisés. De nos jours, la plupart des commentateurs

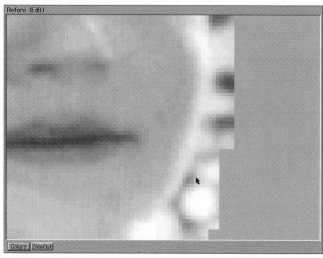

Figure 3-10 Ecran d'édition en mode Zoom

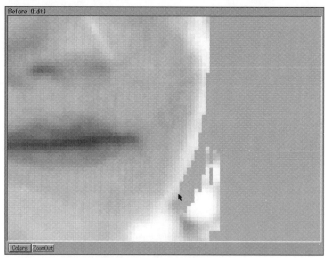

Figure 3-11 Edition en mode Zoom

météo de la télévision donnent leurs prévisions devant une carte du temps. Vous allez peut-être être déçu mais il n'y a aucune carte derrière eux. C'est simplement un écran peint d'une même couleur uniforme. Traditionnellement c'est un écran bleu, mais toute autre couleur pourrait faire l'affaire. Des équipements d'effets spéciaux traitent l'image vidéo et remplacent toutes les

Figure 3-12 Arrière-plan totalement masqué

occurrences de cette couleur par une image vidéo de la carte du temps. Cette technique s'appelle la *sélection chromique* ou la *méthode de l'écran bleu*.

Les commentateurs télévisés doivent veiller à leur garde-robe. S'ils sont devant un écran orange et qu'ils portent un pull orange, le pull disparaîtra et les spectateurs verront une tête et des mains flotter devant la carte de la météo.

La sélection chromique est aussi couramment utilisée pour remplacer le pare-brise des voitures dans les séries policières pour donner l'impression que le détective privé ou le policier est en train de poursuivre un méchant alors qu'il est assis dans un voiture à l'arrêt dans un studio télévisé. Dans les films d'aventure et de science-fiction, la sélection chromique sert à superposer des héros qui volent dans les airs ou un vaisseau spatial qui évolue dans les profondeurs de l'espace.

DMorf peut employer une astuce similaire pour supprimer l'arrière-plan de certaines de vos images. Il faut que les images candidates soient composées d'un objet au premier plan et d'un arrière-plan constitué d'une seule couleur ou d'un ensemble de couleurs proches. A cause de ce prérequis, ces images seront probablement prises ou scannérisées intentionnellement. Il est aussi possible d'employer cette méthode avec des outils d'images de synthèse comme POV-Ray ou Vivid, ou de création d'images qui ne savent pas sauvegarder les images sous forme de canal alpha.

La figure 3-13 montre BIKE.TGA, un fichier image qui se trouve sur les disquettes d'accompagnement. Si vous avez suivi les instructions d'installation, au début de cet ouvrage, vous la trouverez dans le répertoire C:\MORPHING\CHAP3. C'est un modèle réduit de moto, enregistré avec un camescope devant un fond jaune clair et capturé grâce au numériseur d'image PC-Hurricane dont nous avons déjà parlé dans ce chapitre. Comme l'arrière-plan est entièrement jaune et qu'il n'y a pas de jaune dans la moto, on peut appliquer la sélection chromique.

Essayons. Passons dans le répertoire MORPHING\CHAP3 et chargeons BIKE.TGA dans DMorf en tapant :

```
dmorf bike.tga
```

Sur l'écran principal de DMorf, cliquez sur le bouton Edit. DMorf va charger l'ensemble du fichier en mémoire et l'afficher en mode plein-écran. Cliquez sur le bouton Key. Déplacez le curseur sur l'image et positionnez-le sur un des pixels de l'arrière-plan. Appuyez sur le bouton de la souris et DMorf va transformer tous les pixels de cette couleur en pixels transparents. Ils vont s'afficher avec la couleur définie par Alpha Color dans la fenêtre de dialogue Colors. Comme la plupart des pixels de l'arrière-plan ne correspondent pas exactement à celui que vous avez sélectionné, la plupart seront inchangés. Augmentez alors la valeur Tol à 25 et essayez un autre pixel. Le reste de l'arrière-plan devrait devenir transparent. Sauvegardez l'image en cliquant sur le bouton Save (si vous ne désirez pas conserver l'original) ou SaveAs (si vous voulez créer un nouveau fichier).

Figure 3-13 BIKE.TGA

Si vous le préférez, vous pouvez aussi employer la sélection chromique au niveau de DTA, si vous savez comment repérer une couleur dans l'espace RGB. Toutes les couleurs peuvent être définies par une combinaison de trois valeurs, chacune de 0 à 255. Vous pouvez obtenir du jaune en mélangeant du rouge pur avec du vert (255,255,0). Au niveau de l'appel système du DOS, entrez :

```
dta bike.tga /ft /b32 /obike2 /ch255,255,0 /ct25
```

Le premier paramètre, BIKE.TGA, fournit le nom du fichier d'entrée. Les options correspondent aux fonctions suivantes :

◆ /FT demande à DTA de créer un nouveau fichier au format TGA au lieu de flic.

◆ /B32 demande à ce que le fichier soit au format Targa 32 bits et non pas codé sur 24 bits.

◆ /OBIKE2 donne le nom du fichier, BIKE2.

◆ /CH255,255,0 indique à DTA quelle couleur utiliser pour la sélection chromique.

◆ /CT donne la tolérance pour la sélection chromique.

Vous obtenez donc un nouveau fichier image, nommé BIKE2.TGA, dans lequel les pixels de l'arrière-plan sont maintenant transparents.

Composition

Une fois l'arrière-plan de votre image masqué, par l'une ou l'autre des deux méthodes, vous pouvez employer DTA pour placer l'image masquée sur un nouvel arrière-plan. Pour cela, tapez :

```
dta clouds.tga /l dsl.tga /ft /ocomped
```

Le paramètre /L qui suit le nom du fichier de l'image d'arrière-plan (CLOUDS.TGA, une image d'un ciel nuageux) et le nom de l'image de premier plan (DSL.TGA que nous avons créé il y a quelques pages) sépare ces deux images sur deux couches ou calques différents. Tout ce que vous avez masqué dans l'écran d'édition de DMorf sera transparent et laissera apparaître l'arrière-plan. Le paramètre /FT demande à DTA de créer un fichier au format Targa au lieu de flic et /OCOMPED lui demande d'appeler le nouveau fichier

COMPED. DTA rajoutera par lui-même l'extension " .TGA ". La figure 3-14 montre le résultat final.

Lorsque vous effectuez un morphing sur deux images qui disposent chacune d'un canal alpha, DMorf va créer un nouveau canal alpha pour chaque trame qu'il génère. Vous pouvez ainsi superposer la séquence complète sur de nouveaux arrière-plans. Assurez-vous que l'option 32-bit Targa est active dans la fenêtre de dialogue Pictures, sinon le nouveau canal alpha ne sera pas sauvegardé dans le fichier résultat au format Targa. Si vous disposez d'une série de trames, vous pouvez directement composer la séquence totale sur un arrière-plan grâce à DTA, de la manière suivante :

```
dta clouds.tga /l morf*.tga
```

Vous n'êtes limité ni à une seule image pour l'arrière-plan ni à deux couches. Vous pourriez superposer une séquence de morphing sur un arrière-plan, puis y ajouter d'autres morphings. Par exemple, la commande :

```
dta clouds.tga /l mrfa*.tga /p /l mrfb*.tga /l mrfc*.tga
```

demande à DTA de créer un fichier flic avec la même image d'arrière-plan et d'y superposer plusieurs fichiers TGA dont les noms commencent par " MRFA ". Sur ceux-ci, il ajoute une autre série de fichiers TGA dont les noms commencent par " MRFB ". Et encore au-dessus, il superpose un ensemble de fichiers TGA dont les noms débutent par " MRFC ". Avez-vous remarqué l'option /P juste après MRFA*.TGA ? Elle précise à DTA qu'il doit appliquer un effet ping-pong aux images de cette couche (ajout des images à l'animation une seconde fois, mais dans l'ordre inverse) mais sans concerner les autres couches.

EFFETS DE DÉFORMATION

La principale fonction de DMorf consiste à effectuer un morphing d'une image en une autre, mais il ne se limite pas qu'à cela. La technique de déformation par maillage qu'il utilise pour l'effet de morphing peut aussi servir à générer d'autres effets, en particulier certains fort caricaturaux. Rappelez-vous la scène du film *PeeWee's Big Adventure* où le conducteur de camion Large Marge se transforme en horrible monstre. Cet effet fut créé grâce à Claymation, mais vous pouvez obtenir des effets similaires en déformant des images.

Si vous activez le paramètre Just Warp dans le panneau de contrôle Morphing Switches, DMorf va continuer à utiliser des maillages de contrôle pour les deux fenêtres, mais, au lieu de déformer les deux images et de les

Figure 3-14 Le premier plan est composé avec un nouvel arrière-plan

mélanger, il va directement créer les trames à partir des images déformées de la première fenêtre. Cette technique offre deux opportunités : celle de créer des caricatures dont nous avons déjà parlé, mais aussi celle de déplacer des objets. A vous d'en trouver peut-être d'autres.

Caricatures

Les caricatures sont un bon moyen de faire des blagues à vos amis. Et si votre patron décide de ne pas vous augmenter cette année ou si vos collègues de bureau se sont moqués de votre piètre promotion, voici un moyen de vous venger sans violence et à peu de frais. La fonction de déformation de DMorf vous permet d'étirer une image comme vous le désirez, comme si elle était imprimée sur une feuille de plastique. C'est tout à fait suffisant pour donner un aspect stupide à vos amis ou à vos ennemis. Tout comme le magazine *Spy* a utilisé un programme similaire pour transformer le nez de Bill Clinton en nez de Pinocchio sur sa couverture de mai 1993, vous pouvez employer DMorf pour déformer le visage de votre pire ennemi.

Amusons-nous un peu en modifiant l'image de votre serviteur (voir figure 3-15).

Chargez l'image dans DMorf :

```
dmorf dave.tga
```

Comme vous n'avez spécifié qu'un seul fichier image, DMorf va l'afficher dans les deux fenêtres. Construisez un maillage de contrôle pour l'image de gauche, comme vous l'avez fait au chapitre 2. Copiez ensuite ce maillage sur la fenêtre de droite grâce au bouton 1->2. Maintenant, prenez plaisir à déformer le maillage de droite. Déplacez les points de contrôle. Déformez les joues, les paupières et le nez. Vous devriez obtenir quelque chose de semblable à la figure 3-16.

Vérifiez que le paramètre Just Warp (boîte de dialogue Settings) est activé et donnez la valeur 1 à Frames (même boîte de dialogue). Cliquez sur le bouton Go et laissez DMorf travailler. Vous devriez obtenir un résultat proche de celui de la figure 3-17.

Si l'objet de votre caricature a le droit ou le pouvoir de vous virer de votre travail, goûtez à votre revanche en privé.

Déplacement d'objets

Imaginons que vous ayez créé l'image d'une fusée grâce à un logiciel de lancer de rayon comme POV-Ray. Vous aimeriez faire voler cette fusée sur votre écran, mais vous n'avez pas le courage de créer toutes les trames de l'animation. DMorf peut vous y aider. Commencez par charger dans DMorf l'image de la figure 3-18, ROCKET.TGA.

Figure 3-15 L'auteur, encore intact

Construisez un maillage pour la fusée. Comme nous n'avons pas besoin de déformer la fusée, un maillage très simple peut faire l'affaire : quatre points de contrôle pour un rectangle. Copiez le maillage sur la fenêtre de droite (bouton 1->2) et déplacez les coins du rectangle (voir figure 3-19).

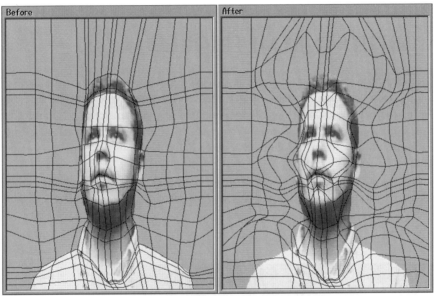

Figure 3-16 Maillage de contrôle pour la caricature

Figure 3-17 L'auteur, plus déchiré que d'habitude

Il n'y a pas de morphing et vous devez donc activer le paramètre Just Warp dans la boîte de dialogue Settings. Nous ne voulons pas déformer l'image : il faut donc inhiber les paramètres Spline Mesh et Spline Interval. Cliquez sur le bouton Go, et DMorf produira la séquence de trames de la figure 3-20. Le résultat ne sera pas aussi beau que les mêmes trames générées grâce au logiciel de lancer de rayon mais vous aura demandé moins d'effort et de patience.

MORPHINGS SYMÉTRIQUES

Les morphings *symétriques* sont une catégorie particulière de morphings. Au lieu d'effectuer un morphing d'une image vers une autre, il est réalisé à partir d'une partie d'une même image vers une autre partie, symétrique. L'emploi le plus courant de cette technique consiste à changer l'orientation d'une personne ou d'un objet ou de transformer deux personnes simultanément de l'une en l'autre.

Pour créer un morphing symétrique, il faut commencer avec une seule image et non deux. Celle-ci doit être symétrique. Cela signifie que les

Figure 3-18 La fusée

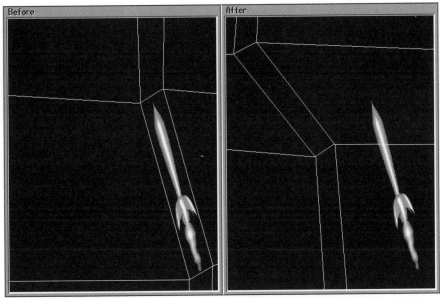

Figure 3-19 Maillage pour la fusée en vol

caractéristiques de la partie de gauche doivent être similaires à celles de droite. Un visage qui fait face à une caméra est symétrique : il y a une oreille et un œil de chaque côté. Une vue de profil ne l'est pas. Pour cet exercice, nous allons employer l'image DSL.DTA créée précédemment. Chargeons l'image dans DMorf en tapant :

```
dmorf dsl.tga
```

Construisez un maillage de contrôle comme vous l'avez fait au chapitre 2, si ce n'est que vous n'avez pas à vous préoccuper de la fenêtre de droite. Le maillage doit être symétrique. Si le deuxième ou troisième point de contrôle à partir de la gauche correspond au lobe de l'oreille gauche, alors le même à partir de la droite doit correspondre au lobe de l'oreille sur l'image opposée. La figure 3-21 montre un maillage de contrôle symétrique pour DSL.TGA.

Une fois que vous avez créé le maillage de contrôle pour l'image de départ, vous avez fait le plus dur. Il faut maintenant créer une image d'arrivée et un maillage inversé, mais cela est facile. Procédez comme suit :

Figure 3-20 La fusée en vol

1. Vérifiez que l'option Select (en bas à droite) est définie à After puis cliquez sur le bouton Edit. Comme il n'existe pas de seconde image, DMorf va copier l'image de départ.

2. Sur l'écran Edit, cliquez le bouton FlipH. DMorf va créer une image en miroir de l'image initiale.

3. Cliquez sur le bouton SaveAs. Entrez un nouveau nom de fichier (DSR.TGA) et appuyez sur ENTREE.

Figure 3-21 Un maillage symétrique

4. Cliquez sur le bouton Main pour revenir à l'écran principal de DMorf.

Pour créer un maillage pour l'image d'arrivée, voici comment procéder :

1. Cliquez sur le bouton 1-2 pour demander à DMorf de copier le maillage sur la seconde fenêtre.

2. Cliquez sur le bouton FlipH et DMorf va renverser le maillage, tout comme il l'a fait avec l'image.

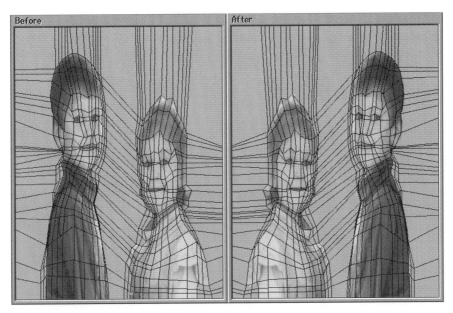

Figure 3-22 Images en miroir

Tout est maintenant prêt pour un morphing symétrique. La figure 3-22 montre les deux images et les maillages de contrôle.

Utilisez SaveAs pour sauvegarder votre travail et cliquez sur Go pour lancer le traitement. Vous devriez obtenir une séquence telle que celle de la figure 3-23.

ENCHAÎNEMENTS DE PLUSIEURS MORPHINGS

Effectuer un morphing d'une image à une autre est amusant mais peut devenir ennuyeux. Vous pouvez y ajouter un peu de piment en effectuant des morphings sur plusieurs images. Tout d'abord, effectuez un morphing entre la première et la seconde image. Puis entre la seconde et la troisième, et la troisième et la quatrième. N'oubliez pas de faire un morphing entre la dernière image et la première. Vérifiez que vous avez sauvegardé chaque série de fichiers TGA sous des noms différents. Employez pour cela le paramètre Output Prefix de la boîte de dialogue Pictures.

Une fois que tous les fichiers TGA sont générés, il est temps de les rassembler en un seul fichier flic grâce à DTA. DTA vous permet d'entrer autant de noms de fichiers que la ligne de commande peut en contenir :

```
dta pict1.tga mrfa*.tga pict2.tga mrfb*.tga pict3.tga mrfc*.tga pict4.tga mrfd*.tga
```

SORTIE VIDÉO

Lorsque vous aurez passé un certain temps à créer des morphings et que vous les aurez montrés à toute votre maisonnée et à tous vos collègues qui disposent

Figure 3-23 Un morphing symétrique

d'ordinateurs PC, que pouvez-vous faire d'autre ? Créer une vidéo de vos séquences de morphing et forcer tous vos autres amis à les regarder ! La sortie vidéo est aussi extrêmement utile si vous voulez gagner de l'argent avec vos créations. Les studios de télévision n'ont que faire d'une disquette : ils veulent des vidéos.

Les solutions professionnelles

Si vous ne savez pas quoi faire de votre argent, un bon moyen de le dépenser consiste à acquérir un enregistreur professionnel de laserdiscs ou de vidéo-cassettes. Leur prix se situe normalement autour de 100 000 F, rien que pour l'enregistreur. Mais vous aurez aussi besoin d'une carte graphique comme la Truevision Targa+ et d'un contrôleur vidéo. Toutefois, enregistrer des images 24 bits, une trame à la fois, est le meilleur moyen de créer des vidéos sur des ordinateurs.

Les solutions bon marché

Si, comme la plupart des mortels, vous ne pouvez pas vous offrir un magnétoscope professionnel, voici une autre solution. Certaines cartes ou boîtiers externes vous permettent de transférer les graphiques de votre ordinateur sur un magnétoscope grand-public. Ce sont des convertisseurs PAL, SECAM (N.D.T. : rares...) ou NTSC.

Ces périphériques se branchent sur le connecteur VGA de votre PC. Ils se raccordent à votre magnétoscope grâce à un câble RCA (Cinch) ou SVHS. Un autre câble se connecte à votre moniteur. Un programme permet de changer les fréquences de votre carte VGA, et tout ce qui s'affiche sur votre moniteur à 640 x 480 pixels pourra s'afficher sur votre télévision ou s'enregistrer sur votre magnétoscope.

RÉSUMÉ

Ce chapitre a couvert beaucoup d'aspects du morphing. Vous avez appris comment choisir la bonne image pour le morphing que vous voulez créer. Vous avez découvert comment accélérer le calcul de vos morphings et comment contourner certains problèmes. Nous vous avons fait part de certaines astuces, telles que l'éclairage, la déformation, l'enchaînement de plusieurs morphings et les morphings symétriques. Vous savez même maintenant comment fixer vos résultats sur vidéo pour la postérité !

Maintenant que vous êtes habitué au processus du morphing et que vous maîtrisez quelques techniques d'optimisation, il vous faut mieux connaître les applications qui accompagnent cet ouvrage. Vous pourrez ainsi utiliser toute la puissance de ces outils pour créer des morphings encore plus impressionnants.

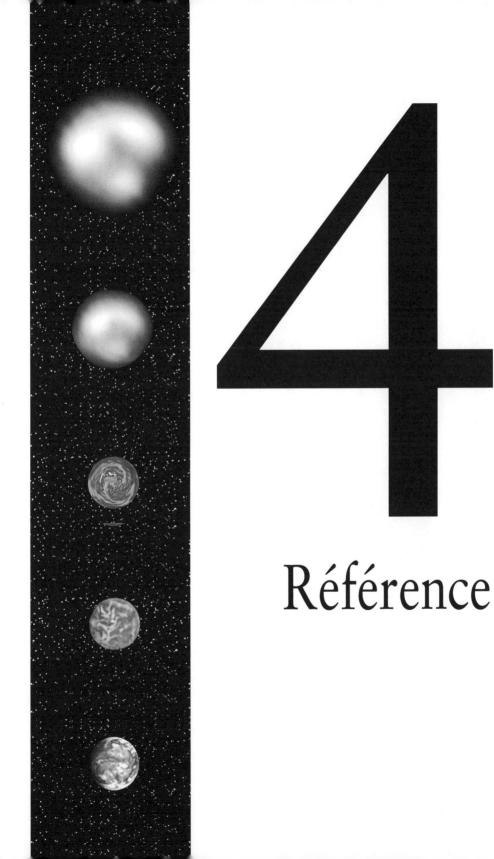

4

Référence

CHAPITRE 4

Référence

Vous avez appris les bases de la création d'un morphing et comment le personnaliser avec quelques astuces. Maintenant, il est temps d'apprendre comment employer au mieux les outils livrés sur les disquettes d'accompagnement pour que vous puissiez les utiliser de manière efficace pour vos propres morphings.

Les disquettes livrées avec ce livre contiennent tous les outils nécessaires pour créer et pour afficher des animations à base de morphing. Si vous les avez installées selon les instructions du début de cet ouvrage, vous devez disposer de quatre outils dans votre répertoire C:\MORPHING\TOOLS :

◆ DMorf, que vous pouvez utiliser pour concevoir et générer vos séquences de morphing.

◆ DTA, qui assemble les diverses trames de vos morphings pour créer des fichiers d'animation au format flic.

◆ FLISPEED, qui vous permet de changer le paramètre vitesse d'un fichier d'animation existant.

◆ Trilobyte Play, qui affichera ces fichiers flics sur votre moniteur VGA ou SVGA.

Dans ce chapitre, nous allons parler de chacun de ces programmes en détail et révéler toutes les options et les caractéristiques de DMorf, DTA et FLISPEED, et toutes les caractéristiques importantes de Play.

Les exemples et les remarques de ce chapitre sont destinés aux utilisateurs de la ligne de commande DOS. Si vous désirez utiliser Microsoft Windows ou OS/2 d'IBM pour des raisons de facilité ou de meilleure gestion de la mémoire, vous devez avant toute chose ouvrir une fenêtre DOS plein-écran. Dans Windows, cliquez sur l'icône MS-DOS. Dans OS/2, cliquez sur l'icône DOS Plein-écran. L'affichage de Windows ou de Presentation Manager sera remplacé par l'appel système du DOS. Tout se passera alors comme si vous exécutiez directement le DOS. Si ce n'est pas déjà fait, suivez les instructions d'installation du début de cet ouvrage, propres à Windows et à OS/2.

DMORF

DMorf est l'outil utilisé pour éditer les maillages de contrôle et pour générer les séquences de morphing. Dans ce paragraphe, nous allons parler de tous les écrans, paramètres et commandes que vous allez trouver dans DMorf. Pour plus d'informations sur la création d'un maillage de contrôle, reportez-vous au chapitre 2.

Il existe actuellement sur le marché de nombreux outils de morphing, comme WinImages:Morph de BlackBelt Systems, Gryphon Morph et PhotoMorph de North Coast Software. Au contraire de DMorf, ce sont de réelles applications Windows. Elles permettent entre autres d'avoir plusieurs fenêtres présentes à l'écran et d'afficher les images en couleurs. Parmi les trois cités, WinImages:Morph nous semble le plus sophistiqué avec pas mal de fonctionnalités qui font défaut à DMorf, comme la faculté d'effectuer des morphings entre des séquences d'animation. Le coût de ces logiciels varie entre 1 000 et 10 000 F.

Vérifiez que DMORF.EXE, DPMI16BI.OVL et RTM.EXE se trouvent soit dans votre répertoire courant, soit dans un répertoire de votre chemin d'accès. Si un seul de ces fichiers manque, DMorf ne fonctionnera pas. Si, lors de la première utilisation de DMorf, vous obtenez un message d'erreur étrange au sujet d'un jeu de composants non supporté, vous avez aussi besoin de DPMIINST.EXE.

Ce livre vous offre deux versions différentes du programme DMorf : DMORF.EXE et DMORFNC.EXE. Si votre PC ne dispose pas de coprocesseur arithmétique et que votre processeur est un 286, un 386 ou un 486SX, vous devriez employer DMORFNC.EXE à la place de DMORF.EXE. La version standard du logiciel pourrait fonctionner mais la version spécifique sera beaucoup plus rapide sur un système sans coprocesseur. Si vous ne voulez pas avoir à vous rappeler quelle version utiliser, remplacez DMORF.EXE par DMORFNC.EXE. Tout d'abord, passez dans le répertoire qui contient les outils de morphing, puis supprimez le fichier DMORF.EXE original. Renommez ensuite DMORFNC.EXE. Voilà ce qu'il faut faire :

```
cd \morphing\tools
del dmorf.exe
rename dmorfnc.exe dmorf.exe
```

> **Information sur les sharewares**
>
> DMorf est un programme de type shareware qui peut être librement distribué sous sa forme non modifiée pour évaluation. Si vous l'employez fréquemment, vous devez vous acquitter d'un droit d'enregistrement de $35 que vous pouvez faire parvenir à l'auteur du programme David K.Mason, P.O. Box 181015, Boston, MA 02118 - USA.

Syntaxe de la ligne de commande

Le moyen le plus simple de lancer DMorf consiste à taper simplement :

```
dmorf
```

DMorf affiche alors son écran principal sans image chargée et avec un maillage par défaut qui contient quatre points (vous ne les voyez pas parce qu'ils correspondent aux coins de l'image). Vous pouvez aussi charger en même temps les images que vous désirez manipuler en tapant les noms des fichiers comme paramètres de la ligne de commande de DMorf. Vous pouvez essayer avec un couple de fichiers de la disquette d'accompagnement. Passez dans le répertoire MORPHING\CHAP4 et tapez :

```
dmorf before.tga after.tga
```

Vous pouvez aussi charger un fichier maillage. Nous vous fournissons un tel fichier sous le nom TEST.MSH. A partir du répertoire MORPHING\CHAP4, tapez :

```
dmorf test.msh
```

Vous pouvez même effectuer ces deux actions simultanément si vous désirez charger un maillage avec des images :

```
dmorf before after test.msh
```

Si, dans ce dernier exemple, vous tapez un nom de fichier sans aucune extension, DMorf considère que ce sont des fichiers au format Targa (TGA). Rappelez-vous donc de toujours préciser l'extension .MSH pour les fichiers de maillage. Si vous effectuez un morphing sur des fichiers au format GIF, n'oubliez pas l'extension GIF. DMorf dispose aussi de plusieurs paramètres sur la ligne de commande. Un paramètre commence par un slash (/) ou un tiret (-) et demande à DMorf de se comporter différemment de sa configuration par défaut.

Par défaut, DMorf essaiera de fonctionner en mode Super VGA, 640 x 480 en 256 couleurs mais passera en 16 couleurs si votre carte graphique ou votre contrôleur VESA ne supporte pas ce mode. Vous pouvez forcer DMorf à utiliser le mode 16 couleurs même si votre carte graphique en supporte 256 en ajoutant le paramètre /NOSVGA à la ligne de commande. Par exemple, entrez :

```
dmorf test.msh /nosvga
```

Si votre carte graphique et votre moniteur acceptent une résolution supérieure, vous pouvez la proposer à DMorf. Pour travailler en 800 x 600 x 256, ajoutez le paramètre /800. Pour passer en 1024 x 768 x 256, entrez /1024.

Attention : Avant de sélectionner une de ces résolutions, assurez-vous que votre système la supporte, et tout particulièrement votre moniteur, sous peine de risquer de l'endommager.

Par défaut, DMorf emploie aussi peu de mémoire que possible. Pour effectuer un morphing, il doit toutefois créer une mémoire tampon pour l'image en allouant quatre octets pour chaque pixel. Il évite cependant d'en employer plus grâce à une gestion des versions intermédiaires sous forme de fichiers temporaires sur disque. Cette solution a pour inconvénient de ralentir le processus de morphing. Si vous disposez de beaucoup de mémoire, ajoutez le paramètre /PRELOAD pour que DMorf stocke les images temporaires en mémoire. Il utilisera plus de mémoire mais sera beaucoup plus rapide.

Sans /PRELOAD, DMorf utilise 256 000 octets pour des images de 320 x 200. Avec /PRELOAD, DMorf emploierait 1 280 000. Avec des images de 640 x 480, ces chiffres deviennent respectivement 1 228 000 et 6 144 000. Si vous tentez d'utiliser /PRELOAD et que vous ne disposez pas de suffisamment de mémoire, DMorf ne pourra pas s'exécuter.

DMorf ne sait exploiter que de la mémoire étendue (XMS). Il ne sait pas tirer parti de la mémoire paginée (EMS) ou d'un cache. Si vous ne disposez que d'une quantité limitée de mémoire (par exemple, 4 Mo), il vaut mieux ne pas employer de cache et laisser à DMorf toutes les ressources mémoires. Si d'autres applications ont besoin du cache, il vaut mieux gérer plusieurs versions des fichiers AUTOEXEC.BAT et CONFIG.SYS. Si vous possédez MS-DOS 6, vous pouvez créer un menu qui vous propose différentes options pour votre configuration, ce qui permet d'optimiser votre configuration pour des besoins précis. D'autres programmes, comme le shareware Dyna-Boot, offrent les mêmes possibilités.

Un dernier paramètre est /GO. Utilisez-le avec le nom du fichier de maillage pour que DMorf génère automatiquement la séquence de morphing et revienne au DOS, une fois son travail terminé. Il est ainsi plus facile de concevoir des fichiers de traitements par lots pour des morphings (voir chapitre 5).

L'écran DMorf

Lorsque vous lancez DMorf, vous obtenez l'écran de la figure 4-1. Il est décomposé en différentes fenêtres : deux grandes pour contenir les images qui vont subir le morphing et deux petits panneaux de contrôle qui contiennent des boutons pour le contrôle de DMorf.

Les contrôles de l'interface graphique

Le bas de l'écran comporte un nombre important de boutons et autres cases de contrôle. Ils représentent les objets graphiques qui vous permettent de

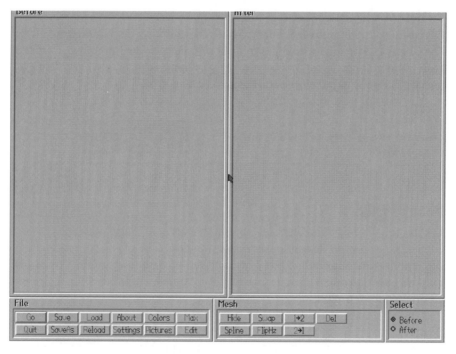

Figure 4-1 Ecran principal de DMorf

contrôler l'utilisation de DMorf. Il en existe cinq sortes : boutons, cases à cocher, boutons radios, cases de type texte et cases de type nombre. Il y a trois moyens de les activer : vous pouvez cliquer avec la souris si le curseur souris les pointe, tapez la lettre qui est en surbrillance dans leur nom ou se déplacer dans la case de sélection grâce aux touches TAB et SHIFT-TAB puis en appuyant sur ESPACE.

Boutons

Les boutons fonctionnent comme des commandes. Cliquez sur un bouton ou tapez la lettre qui est en surbrillance sur son nom et DMorf accomplira l'action correspondante. La figure 4-2 donne un exemple de deux boutons de contrôle.

Figure 4-2 Exemples de boutons dans DMorf

Cases à cocher

Les cases à cocher contrôlent l'activation ou l'inhibition de paramètres. S'il y a un X dans la case à gauche du nom, cela signifie que le paramètre est actif. Si vous cliquez sur la case à cocher ou sur son nom, vous en changez l'état. La figure 4-3 donne des exemples de cases à cocher.

Figure 4-3 Exemples de cases à cocher dans DMorf

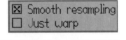

Boutons radios

Les boutons radios contrôlent les paramètres un peu à la manière des cases à cocher, si ce n'est qu'ils sont dépendants sous forme de groupe et représentent des exclusions mutuelles. Si vous activez un bouton radio, ceux qui appartiennent au même groupe seront automatiquement inhibés. La figure 4-4 en donne un exemple.

Figure 4-4 Exemple de boutons radios dans DMorf

Cases de type nombre

Les cases de type nombre contiennent des paramètres numériques. Si vous cliquez sur le petit bouton qui est marqué d'un signe moins, la valeur est diminuée, et réciproquement si vous cliquez sur le petit bouton marqué plus. Si vous cliquez sur la case qui contient un nombre ou si vous tapez la lettre qui est en surbrillance dans le nom de la case, DMorf efface la valeur existante, la remplace par un curseur texte et vous permet d'entrer une nouvelle valeur. La figure 4-5 montre un exemple de cases de type nombre.

Figure 4-5 Exemple de cases de type nombre dans DMorf

Cases de type texte

Les cases de type texte contiennent des chaînes de caractères paramètres. Si vous cliquez sur une case de type texte, DMorf efface le texte, le remplace par un curseur texte et vous permet d'entrer une nouvelle chaîne de caractère. La figure 4-6 en montre un exemple.

Figure 4-6 Exemple de cases de type texte dans DMorf

Les menus de l'écran principal

La partie inférieure de l'écran de DMorf offre trois choix : File (Fichier), Mesh (Maillage) et Select (Sélection). Nous allons expliquer à quoi servent ces contrôles.

Le menu File (voir figure 4-7) se trouve en bas à gauche. Il offre plusieurs boutons pour sauvegarder et charger des fichiers de maillage, afficher les informations de copyright, passer d'un écran à un autre et afficher des fenêtres de dialogue :

Figure 4-7 Le menu File de DMorf

◆ **Go (Lancer) :** Lance le processus de morphing ou de déformation.

◆ **Quit (Quitter) :** Quitte DMorf. La touche ESC a le même rôle.

◆ **Save (Sauvegarder) :** Si vous avez déjà sauvé ou chargé un fichier maillage, ce bouton sauvegardera vos maillages et vos paramètres sous le même nom de fichier. Dans le cas contraire, DMorf vous demandera un nom de fichier avant toute chose.

◆ **Save As (Sauvegarder sous) :** Vous demande un nouveau nom de fichier puis sauvegarde vos maillages et vos paramètres sous ce nom.

◆ **Load (Charger) :** Vous demande le nom d'un fichier de contrôle existant puis le charge.

◆ **Reload (Charger à nouveau) :** Si vous avez déjà sauvegardé ou chargé un fichier maillage, ce bouton effectue un nouveau chargement des informations, sans vous demander de nom de fichier. Dans le cas contraire, il se comporte comme le bouton Load.

◆ **About (A propos de) :** Affiche une fenêtre qui contient des informations sur la version du programme et le copyright.

◆ **Settings (Paramètres) :** Affiche la fenêtre de dialogue Settings (voir plus loin) qui vous permet de changer plusieurs paramètres du morphing.

◆ **Colors (Couleurs) :** Affiche la fenêtre de dialogue Screen Colors (voir plus loin). Cette dernière vous permet de modifier les couleurs qu'utilise DMorf pour afficher les maillages et représenter la transparence. Vous pouvez aussi modifier la luminosité avec laquelle DMorf affiche les images en niveaux de gris.

◆ **Pictures (Images) :** Affiche la fenêtre de dialogue Pictures (voir plus loin) qui vous permet de modifier les fichiers images qui vous servent pour le morphing et de modifier les noms et le format des fichiers de sortie.

◆ **Max :** Permet de passer en plein-écran et de n'afficher qu'une seule image et son maillage mais à une taille presque double de la vue normale. Ceci permet de mieux contrôler le maillage. Lorsque vous sélectionnez ce bouton, DMorf va passer en plein-écran pour l'image sélectionnée dans le panneau de contrôle Select.

◆ **Edit (Edition) :** Permet de passer en mode Edit. On obtient une vue agrandie des images et on peut ainsi mieux modifier les zones de transparence. DMorf éditera l'image sélectionnée dans le panneau de contrôle Select.

La figure 4-8 montre le menu Mesh, à droite du menu File. Ces boutons vous aident à manipuler les maillages du morphing.

◆ **Hide (Cacher) :** Cache temporairement le maillage de contrôle pour que vous puissiez voir toutes les images. Une fois que vous avez cliqué sur ce bouton, maintenez le bouton de la souris enfoncé tant que vous voulez rester dans ce mode de visualisation.

◆ **Spline :** Vous donne une prévisualisation des courbes de type spline. Si vous employez le mode Spline Mesh (voir plus loin), utilisez ce bouton uniquement pour vous assurez que les courbes splines vous conviennent. Une fois que vous avez cliqué sur ce bouton, maintenez le bouton de la souris enfoncé tant que vous voulez rester dans ce mode de visualisation. Vous n'avez pas besoin d'employer ce bouton si le paramètre Spline Always (fenêtre de dialogue Settings) est activé.

◆ **Swap :** Intervertit les maillages entre les deux fenêtres.

◆ **FlipHz :** Renverse horizontalement le maillage sélectionné dans la fenêtre After.

◆ **1->2 :** Copie le maillage de la fenêtre Before dans la fenêtre After.

◆ **2->1 :** Copie le maillage de la fenêtre After dans la fenêtre Before.

Figure 4-8 Le menu Mesh de DMorf

Figure 4-9 Les options de sélection de DMorf

◈ **Del (Supprimer) :** Vous permet de supprimer une ligne de vos maillages. Une fois que vous avez cliqué sur ce bouton, déplacez le curseur de la souris sur le cadre d'une des images et près de la ligne que vous souhaitez supprimer. Si le curseur se trouve sur le bord supérieur ou inférieur (respectivement droit ou gauche), c'est une ligne verticale (respectivement horizontale) qui sera supprimée.

La figure 4-9 montre les options de sélection (Select) de DMorf, situées en bas à droite de l'écran principal. Ce menu contient deux boutons radios que vous pouvez employer pour sélectionner l'une ou l'autre des images de l'écran pour y affecter un des contrôles précédents (Max, Edit et FlipHz).

L'écran Max

Il arrive que la taille des fenêtres ne permette pas un affichage assez détaillé des images pour créer un maillage correct ou pour contrôler suffisamment les lignes du maillage. Lorsque vous cliquez sur le bouton Max, DMorf passe en mode plein-écran (voir figure 4-10) et emploie pratiquement tout l'écran pour afficher une des images et son maillage de contrôle. Il ne reste que six boutons apparents :

◈ **Other (Autre) :** Permet de passer en mode plein-écran pour l'autre image.

◈ **ZoomIn :** Effectue un zoom sur une partie de l'écran si le mode plein-écran n'est pas suffisant pour manipuler le maillage. Une fois que vous avez sélectionné ce bouton, déplacez le curseur sur un des coins d'un rectangle fictif qui délimite la zone qui vous intéresse. Appuyez une nouvelle fois sur le bouton et déplacez le curseur sur le coin opposé de ce rectangle. Relâchez le bouton et DMorf affichera uniquement la partie de l'écran que vous avez sélectionnée. Sous ce mode de visualisation (voir figure 4-11), vous pouvez toujours manipuler les lignes du maillage mais il n'est plus possible d'en ajouter de nouvelles. Le seul bouton présent à l'écran est ZoomOut qui permet de revenir en mode plein-écran.

◆ **Main (Principal) :** Permet de quitter l'écran Max et de retourner à l'écran principal.

◆ **Colors (Couleurs) :** Fait apparaître la fenêtre de dialogue Screen Colors.

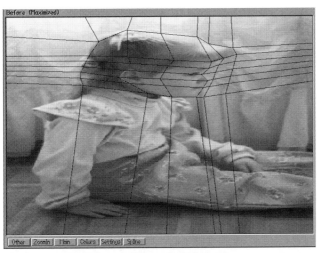

Figure 4-10 L'écran Max de DMorf

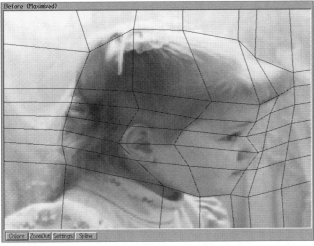

Figure 4-11 L'écran Max en mode zoomé

◈ **Settings (Paramètres)** : Fait apparaître la fenêtre de dialogue Settings.

◈ **Spline** : Affiche les courbes qui correspondent au maillage de contrôle de cette image.

L'écran Edit

Nous avons vu que les arrière-plans posent des problèmes lors du morphing. Il arrive souvent qu'un maillage de contrôle donne un assez bon résultat avec un objet au premier plan, mais ne s'adapte pas à l'arrière-plan, tout particulièrement si celui-ci est différent pour chaque image. Si vous cliquez sur le bouton Edit de l'écran principal, DMorf passe en mode Edition (voir figure 4-12). Dans ce mode, DMorf n'affiche qu'une seule image, sans son maillage de contrôle, et vous permet de modifier les valeurs de transparence de certaines zones de l'image ou au niveau des pixels. Ceci vous permet de masquer des zones de l'arrière-plan qui peuvent poser des problèmes.

Pour tirer parti du maximum de l'écran, l'écran Edit ne dispose que d'une seule ligne de boutons de contrôle :

◈ **Other** : Permet d'afficher l'autre image en mode Edit.

◈ **Main** : Quitte le monde Edit et retourne à l'écran principal.

◈ **Colors** : Fait apparaître la fenêtre de dialogue Screen Colors.

◈ **ZoomIn** : Effectue un zoom sur une partie de l'écran si le mode Edit n'est pas suffisant. Une fois que vous avez sélectionné ce bouton, déplacez le curseur sur un des coins d'un rectangle fictif qui délimite la zone qui vous intéresse. Appuyez une nouvelle fois sur le bouton et déplacez le curseur sur le coin opposé de ce rectangle. Relâchez le bouton et DMorf affichera uniquement la partie de l'écran que vous avez sélectionnée. Sous ce mode de visualisation (voir figure 4-13), le bouton de la souris va se comporter différemment. Au lieu de sélectionner un rectangle pour rendre une zone transparente, il va permettre de modifier la transparence au niveau du pixel. Le seul nouveau bouton présent à l'écran est ZoomOut qui permet de revenir en mode Edit.

◈ **Save** : Sauvegarde l'image sur disque une fois vos modifications effectuées. Si l'image que vous modifiez est un fichier TGA, Save remplacera le fichier initial. Sinon, Save créera un nouveau fichier qui gardera le même nom de fichier mais avec une nouvelle extension .TGA. Il modifiera aussi le nom du fichier dans la fenêtre de dialogue Pictures.

◆ **SaveAs :** Si vous ne désirez pas remplacer votre fichier initial, utilisez ce bouton. DMorf vous demandera un nouveau nom de fichier et créera un nouveau fichier au format TGA. Il modifiera aussi le nom du fichier dans la fenêtre de dialogue Pictures.

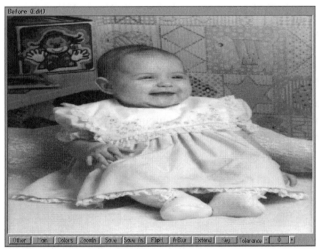

Figure 4-12 Ecran Edit de DMorf

Figure 4-13 Ecran Edit zoomé de DMorf

◈ **FlipHz :** Fonctionne tout comme le bouton du même nom du menu Mesh de l'écran principal, mais au lieu de renverser le maillage, il renverse l'image.

◈ **A-Blur :** Effectue un filtrage de type flou sur le canal alpha de l'image. Ceci peut s'avérer utile lors de la composition de l'image modifiée en superposition avec une autre en adoucissant les bords.

◈ **Extend :** Ce bouton ne correspond à aucune fonctionnalité pour le moment et servira à des extensions futures de l'écran Edit.

◈ **Key (Sélection chromique) :** Ce bouton transforme toutes les occurrences d'une couleur en transparence (voir explications sur la sélection chromique au chapitre 3). Cliquez simplement lorsque le curseur est positionné sur un pixel de l'image.

◈ **Tol :** Cette valeur vous permet de définir la tolérance de la fonction Key. Si Tol est égal à 0, seules les couleurs strictement identiques seront affectées. Si vous augmentez sa valeur, Key modifiera aussi d'autres couleurs, proches dans le spectre.

La fenêtre de dialogue Settings

Lorsque vous cliquez sur le bouton Settings au niveau de l'un des autres écrans, DMorf fait apparaître la fenêtre de dialogue de la figure 4-14. Cette fenêtre de dialogue contient certains paramètres qui affectent la manière dont DMorf va appliquer le morphing à vos images. Elle se décompose entre deux zones. La première, Morph Switches, contient les contrôles suivants :

◈ **Spline Mesh :** Lorsque vos points sont placés selon vos désirs et que vous demandez à DMorf de poursuivre le processus de morphing, DMorf trouve l'endroit où déplacer chaque pixel en dessinant des courbes splines entre les lignes du maillage. Si vous inhibez ce contrôle, il tracera des lignes droites à la place des splines. Vous obtiendrez de meilleurs résultats avec les courbes splines, mais l'emploi de lignes droites peut s'avérer utile si : a) vos splines deviennent trop complexes et s'entrecroisent, voire dépassent les cadres des images, b) vous ne voulez pas des déformations courbes.

◈ **Spline Intervals :** DMorf aime aussi employer une fonction de type spline pour déterminer comment espacer les pixels qui se trouvent entre les lignes des maillages. Ceci donne habituellement de

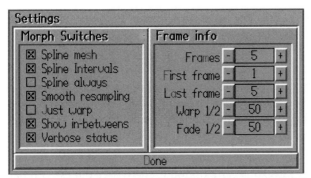

Figure 4-14 Fenêtre de dialogue Settings de DMorf

meilleurs résultats qu'une interpolation linéaire, mais vous pouvez inhiber cette possibilité si vous désirez simplement déplacer un objet sans le déformer.

◆ **Spline Always :** Même si vous avez choisi un maillage avec des splines lors du processus de morphing, DMorf affiche les maillages à l'écran sous forme de lignes pour des raisons évidentes de rapidité d'affichage. A tout moment, vous pouvez visualiser l'aspect des splines grâce au bouton Spline. Toutefois, si vous disposez d'un ordinateur rapide (486DX, DX2-50, DX2-66 ou Pentium), activez le paramètre Spline Always pour que DMorf affiche constamment les splines. Si vous ne disposez pas de coprocesseur arithmétique, n'essayez même pas d'y *penser*...

◆ **Smooth Resampling :** Lorsque cette option est active, DMorf interpole les nouveaux pixels à partir de tous les pixels originaux. Si vous inhibez cette option, il ne prendra en compte que le pixel le plus proche. Ce mode de travail est beaucoup plus rapide pendant la période de test, mais les résultats peuvent être épouvantables.

◆ **Just Warp :** Dans le mode par défaut (morphing), DMorf associe les points de l'image 1 à ceux de l'image 2, réciproquement, et effectue un mélange croisé. En mode déformation (Warp), il associe les points de l'image 1 à l'image 2 sans mélange. Vous ne serez pas surpris d'apprendre que l'option Just Warp divise par deux le temps nécessaire à un morphing. Vous pouvez utiliser cette option comme moyen rapide pour déplacer un objet sur un écran ou pour créer des caricatures de personnes. Pour plus d'informations, veuillez vous reporter au chapitre 3.

◈ **Show in-between** : Par défaut, lorsque DMorf effectue un morphing ou une déformation, il affiche à l'écran chaque trame intermédiaire. Ceci peut être très utile lorsque vous n'êtes pas sûr que votre maillage donne un bon résultat. Si les trames intermédiaires ne conviennent pas, vous pouvez toujours arrêter le processus grâce à la touche ESC, modifier votre maillage puis relancer le morphing. Mais l'affichage prend un certain temps et si vous devez générer de nombreuses trames, il vaut mieux inhiber cette option.

◈ **Verbose status** : Lorsque cette option est active, ce qui est vrai par défaut, DMorf affiche les détails de la progression du morphing et montre quelle trame il traite et le pourcentage d'achèvement du calcul de cette trame. Inhibez cette option et vous gagnerez un peu de temps.

La seconde partie de la fenêtre de dialogue Settings s'appelle Frame Info. Elle contient plusieurs cases de contrôle des paramètres de l'animation.

◈ **Frames** : Informe DMorf sur le nombre d'images à créer. Si vous êtes en mode morphing, cette valeur représente le nombre de trames intermédiaires nécessaires. Si vous êtes en mode déformation, ce nombre inclut une trame finale totalement déformée.

◈ **First frame/Last frame** : Détermine un intervalle de trames à générer si vous ne désirez pas créer tout un ensemble de fichiers TGA. Cet intervalle sert aussi si vous désirez créer des morphings de séquences animées, mais cela prend plus de temps que la méthode traditionnelle. Si vous avez absolument besoin d'effectuer un morphing sur des séquences animées, nous vous conseillons de faire l'acquisition du programme WinImages:Morph de BlackBelt Systems plutôt que de tenter de le faire avec DMorf.

◈ **Warp 1/2** : Modifie le taux de déformation des images. Si vous donnez la valeur 75 à Warp 1/2, cela signifie qu'à 75 % du morphing, les objets ne seront qu'à demi déformés. La déformation s'accélère alors et se termine à la fin de la séquence. L'utilisation de cette option est souvent une affaire de goût personnel.

◈ **Fade 1/2** : Fonctionne de la même manière que Warp 1/2 mais affecte le taux de mélange des pixels d'une image avec la seconde. Ce paramètre est pratiquement toujours employé conjointement avec le précédent. Là encore, c'est souvent une affaire de goût. Si vous voulez faire quelques tests, donnez la valeur 40 % à Warp 1/2 et 60 % à Fade 1/2.

La fenêtre de dialogue Screen Colors

Lorsque vous cliquez sur le bouton Colors des différents écrans de DMorf, vous faites apparaître la fenêtre de dialogue Screen Colors de la figure 4-15. Cette fenêtre de dialogue comporte plusieurs contrôles sur les couleurs qu'emploie DMorf pour son affichage.

La zone Mesh comporte trois cases de type nombre qui vous permettent de modifier la couleur du maillage à l'écran. Ceci est utile lorsqu'il est difficile de voir le maillage à cause des niveaux de gris des images. La couleur par défaut, <63,0,0>, est un rouge brillant. Vous pouvez changer les composantes rouge, verte et bleue de la couleur en n'importe quelle valeur comprise en 0 et 63. Habituellement, il est possible de donner des valeurs comprises entre 0 et 255 mais le standard VGA nous limite à 6 bits par composante en mode 256 couleurs.

La zone Alpha contient trois cases de type nombre pour contrôler la couleur employée pour visualiser les pixels transparents. Par défaut, cette couleur est un bleu clair, <42,42,63>.

Les cases de type nombre nommées File et Dips dans les zones Gamma 1 et Gamma 2 servent à corriger les problèmes inhérents à la plupart des moniteurs informatiques. Dans l'idéal, un pixel de couleur <10,10,10> devrait être deux fois moins brillant qu'un pixel de couleur <20,20,20>. Malheureusement, les moniteurs informatiques ne fonctionnent pas ainsi.

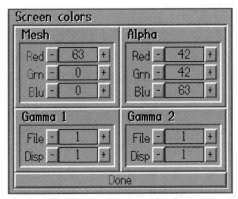

Figure 4-15 La fenêtre de dialogue Screen Colors de DMorf

Au contraire, il y a beaucoup de variations de luminosité et <10,10,10> sera certainement moins lumineux que prévu. La fonction mathématique qui corrige ce phénomène s'appelle une correction Gamma. Elle recalcule toutes les couleurs d'une image pour compenser les problèmes de luminosité dus à votre moniteur. Il suffit de donner un argument à l'équation Gamma. Pour une image non corrigée, cette valeur doit être 1. La plupart des moniteurs VGA ont besoin d'une valeur comprise entre 1,8 et 2. Un nombre inférieur à 1 (mais positif !) donne une image plus sombre.

Si vos images vous semblent manquer de contraste, c'est peut-être que vous n'avez pas de correction Gamma. DMorf vous permet d'assigner deux valeurs de correction Gamma à chaque image. La première, Gamma Pict, donne à DMorf la valeur qui a déjà été appliquée à l'image. Gamma Disp donne à DMorf la valeur que vous désirez utiliser lorsqu'il affiche l'image. Si les deux nombres sont identiques, il n'y a aucune correction.

Si votre image est trop sombre même après une correction Gamma correcte, vous pouvez tricher en donnant un nombre supérieur dans la case Gamma Disp.

Les paramètres Gamma de DMorf n'affectent que l'affichage d'une image. Si vous désirez modifier de manière permanente votre image, utilisez l'option /GA de DTA (voir plus loin).

Le bouton Done permet de quitter la fenêtre de dialogue Screen Colors.

La fenêtre de dialogue Pictures

Lorsque vous cliquez sur le bouton Pictures de l'écran principal, DMorf fait apparaître la fenêtre de dialogue Pictures de la figure 4-16. Ces contrôles agissent sur les fichiers d'origine et de destination.

La zone Input Files permet de spécifier les fichiers qui vont subir le morphing :

◆ **Before (Avant) :** Spécifie le fichier image que DMorf va afficher dans la fenêtre Before de l'écran principal et qu'il va employer comme image d'origine pour le morphing ou comme seule image en mode Just Warp. Actuellement, il n'est pas possible de choisir un fichier dans une liste déroulante mais ceci changera probablement dans une version future de DMorf.

◆ **After (Après) :** Spécifie le fichier image que DMorf va afficher dans la fenêtre After de l'écran principal et qu'il va employer comme image d'arrivée pour le morphing.

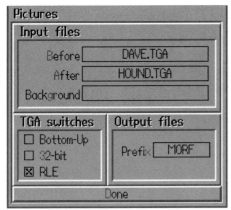

Figure 4-16 Fenêtre de dialogue Pictures de DMorf

◈ **Background (Arrière-plan) :** Spécifie le fichier image que DMorf va placer derrière les images qui contiennent des zones transparentes.

Lorsque DMorf crée des fichiers TGA, il commence par le nom du fichier avec le préfixe MORF et y ajoute un numéro de trame. En mode Just Warp, DMorf utilisera le préfixe WARP. La zone Output Files contient une case de type texte qui vous permet de changer ce préfixe pour quatre lettres de votre choix.

La zone TGA Switches permet de contrôler le format TGA.

◈ **Bottom-up :** Demande à DMorf de créer un fichier TGA qui commence à partir du bas ou du haut de l'écran. Certains programmes ne savent lire qu'une sorte de fichier. DTA accepte les deux, mais préfère les fichiers du type haut vers le bas.

◈ **32-bit :** Demande à DMorf de créer des fichiers TGA 32 bits ou 24 bits. Si vous souhaitez composer des images, il faut passer en mode 32 bits. Certains programmes ne savent lire que des fichiers 24 bits. DTA accepte les deux variantes.

◈ **RLE :** Demande à DMorf de créer ou non des fichiers TGA codés RLE (Run Length). Les fichiers compressés de cette manière sont plus petits que les autres, mais certains programmes (DTA excepté) ne savent pas les lire.

Le bouton Done permet de quitter la fenêtre de dialogue Pictures.

Le format de fichier Mesh de DMorf

Cette discussion sur DMorf ne pourrait être complète sans une description du format de fichier particulier (MSH) employé pour enregistrer les maillages de contrôle et les paramètres. La majorité d'entre vous n'éprouveront jamais le besoin de vous pencher sur le contenu de ces fichiers. Certains, cependant, et tout particulièrement les programmeurs qui voudront créer des programmes pour lire ou écrire des maillages de contrôle de DMorf, trouveront cette information utile.

Il est aussi plus rapide de modifier les paramètres d'un morphing directement grâce à un éditeur de texte (comme le programme EDIT de MS-DOS) que de charger un maillage, afficher les images et naviguer à travers plusieurs fenêtres de dialogue. Ceci est possible car un fichier MSH est un fichier texte ASCII. Il se décompose en quatre parties : une section d'identification, une section de paramètres et une section pour chacun des maillages.

La section Identification (voir listing 4-1) contient des informations sur le format de fichier et la version du programme. Les deux premières lignes sont indispensables. DMorf ne chargera pas le fichier si elles ne sont pas présentes. La première indique à DMorf que le fichier est un fichier de type maillage et non, par exemple, le dernier tract politique de votre maire préféré. La seconde donne la version du format employé par le fichier. La troisième ligne, en option, donne le nom du programme ou du processus que vous utilisez pour générer le maillage. DMorf ne fait rien de particulier avec cette ligne mais elle peut être utile pour tout autre être humain...

Listing 4-1 Section Identification d'un fichier MSH

```
[DMORF MESHFILE]
Version = 7
Program = DMorf Rel. 1.1
```

La section Paramètres (Settings), dont on peut voir un exemple au listing 4-2, contient des informations qui correspondent aux paramètres des fenêtres de dialogue de DMorf. Chaque ligne de cette section comprend un nom de paramètre, un signe égal (=) et la valeur du paramètre. Le nom du paramètre ne peut contenir d'espace. La plupart des lignes de la section Paramètres sont optionnelles. Si vous les omettez, DMorf emploiera les valeurs par défaut. Deux seules sont indispensables : la première [SETTINGS] qui indique le début de la section Paramètres, et la dernière " MeshSize " qui indique à

DMorf le nombre de lignes et de colonnes du maillage. Le reste des lignes peut être dans n'importe quel ordre entre les deux lignes précédentes.

Listing 4-2 Section Paramètres d'un fichier MSH

```
[SETTINGS]
Frames = 5
First = 1
Last = 5
WarpHalf = 50
FadeHalf = 50
JustWarp = False
Smooth = True
Splines = True
SplineAlways = False
SplineIntervals = True
Picture1 =
Picture2 =
MeshColor = <0,0,0>
AlphaColor = <42,42,63>
Gamma1Pict = 1
Gamma1Disp = 1
Gamma2Pict = 2
Gamma2Disp = 2
TGABottomUp = False
32BitTGA = True
TGACompression = True
OutputPrefix = MORF
MeshSize = <6,3>
```

Il y a aussi deux sections Images, une commençant par " [PICTURE 1] ", l'autre par " [PICTURE 2] ", comme le montre le listing 4-3. Chacune contient les emplacements de tous les points de contrôle d'un maillage. Chaque section se décompose en sous-sections, séparées par une ligne blanche, qui contiennent tous les points d'une ligne unique du maillage. Si tous les points d'une ligne dépassent les 80 caractères de la ligne standard, la ligne est décomposée sur plusieurs lignes.

Chaque point est défini par le signe inférieur (<), suivi par un nombre qui représente la coordonnée horizontale du point, d'une virgule (,) et d'un autre nombre qui représente la coordonnée verticale du point et se termine par le signe supérieur (>). Tous les nombres sont compris entre 0 et 9999. Le 0 représente soit le bord gauche, soit le bord supérieur de l'image, tandis que 9999 représente soit le bord droit, soit le bord inférieur de l'image.

Les quatre angles d'une image doivent *rester* sur le cadre. Cela signifie que tous les points de la ligne supérieure (resp. de la colonne la plus à gauche) d'un maillage doivent avoir une coordonnée verticale ou ordonnée (resp. horizontale ou abscisse) nulle. Tous les points de la ligne inférieure (resp. de la colonne la plus à droite) doivent avoir une coordonnée verticale (resp. horizontale) égale à 9999. Sinon, il y a des chances pour que votre morphing ne fonctionne pas correctement. Si vous essayez tout de même de lancer le processus de morphing, DMorf risque de s'interrompre brusquement et de vous renvoyer au niveau du DOS avec un message d'erreur de type exécution.

Chaque coordonnée horizontale (resp. verticale) d'une ligne (resp. colonne) doit être supérieure à la précédente (resp. suivante). Si vous ne suivez pas cette règle, le résultat de votre morphing risque de vous surprendre.

Listing 4-3 Section Images d'un fichier MSH

```
[PICTURE 1]
<0,0> <1600,0> <3800,0> <5600,0> <8199,0> <9999,0>

<0,5399> <1671.018,3530.612><3916.449,7192.041> <5718.016,3673.469>
<7989.556,7040.816> <9999,4408.164>

<0,9999> <1600,9999> <3800,9999> <5600,9999> <8199,9999> <9999,9999>

[PICTURE 2]
<0,0> <1600,0> <3800,0> <5600,0> <8199,0> <9999,0>

<0,5399> <4229.765,5244.898><5926.893,5306.123> <7650.13,5346.939>
<9451.697,5367.347> <9999,5399>

<0,9999> <1600,9999> <3800,9999> <5600,9999> <8199,9999> <9999,9999>
```

Ceci termine notre étude des options et des fonctionnalités de DMorf. Passons maintenant à DTA qui va transformer vos morphings en fichiers flics.

DTA

Une fois que vous avez créé une série de fichiers images, il faut les afficher très rapidement pour donner l'impression d'une animation. Vous pourriez utiliser un programme d'affichage qui chargerait et afficherait chaque image de manière séquentielle, mais ce processus serait bien trop lent pour créer une réelle illusion de mouvement. Il faut beaucoup de temps pour lire une image sur disque et pour mettre à jour l'écran.

DTA (Dave's TGA Animator) assemble toutes vos images en un seul fichier qui ne stocke plus que les différences entre les trames d'une animation, ce qui économise des tonnes de mémoire et d'espace disque. Si vous avez suffisamment de mémoire dans votre PC, un programme peut charger entièrement un fichier flic en mémoire, ce qui élimine totalement les ralentissements dus au disque. Le rafraîchissement écran est aussi plus rapide.

Certains programmes du commerce permettent de créer des fichiers au format flic : Animator Pro d'Autodesk, Tempra Turbo Animator de Mathematica et PC Animate de Presidio. Le principal avantage de tels programmes est qu'ils vous permettent de créer des animations de manière interactive et d'éditer les trames grâce à des outils des dessins plus ou moins traditionnels. Toutefois, lorsque vous compilez une animation à partir de plusieurs images créées avec DMorf ou tout autre programme comme PolyRay ou POV-Ray, l'interface de type ligne de commande de DTA peut vous faire gagner beaucoup de temps. Ainsi, même si vous disposez déjà d'un logiciel d'animation, vous allez probablement employer DTA.

Information sur le shareware

DTA est un programme de type shareware qui peut être distribué librement sous forme non modifiée pour évaluation. Si vous l'employez fréquemment, vous devez vous acquitter d'un droit d'enregistrement de $35. Pour cela, envoyez cette somme à l'auteur du programme à l'adresse suivante : David K. Mason, P.O. Box 181015, Boston, MA 02118, USA.

Préparation

Cette section contient certains exemples qui devraient vous permettre de mieux utiliser DTA. Certains ne fonctionneront qu'avec un jeu d'exemples de fichiers TGA. Utilisons maintenant DMorf pour générer ces exemples. A partir du répertoire MORPHING/CHAP4, tapez :

```
dmorf test.msh /go
```

DMorf va charger le fichier TEST.MSH et effectuer le morphing entre les images BEFORE.TGA et AFTER.TGA. Vous allez obtenir dix nouveaux fichiers au format Targa, nommés TEST0001.TGA, TEST0002.TGA, etc., jusqu'à TEST0010.TGA. Ce n'est pas un morphing particulièrement intéressant, mais ça suffira pour tester DTA.

Création d'un fichier flic

Considérons que vous avez créé plusieurs fichiers Targa et que vous désirez les transformer en fichier au format flic. Le moyen le plus simple consiste à taper la commande DTA avec un caractère joker :

```
dta *.tga
```

Cette commande va demander à DTA de considérer tous les fichiers TGA du répertoire courant. DTA parcourt vos images pour trouver quelles sont les couleurs qu'elles contiennent, génère une palette VGA 256 couleurs puis compresse les images en un fichier flic. Ceci ne fonctionne correctement que si les noms de vos fichiers sont nommés en séquence, comme TEST0001.TGA, TEST0002.TGA, TEST0003.TGA, etc., parce que DTA trie les noms des fichiers avant de les traiter. Si vous avez d'autres fichiers TGA dans le répertoire courant, ils seront aussi inclus dans l'animation, probablement dans un ordre incorrect. Par exemple, dans votre répertoire \MORPHING\CHAP4, vous avez obtenu les fichiers BEFORE.TGA et AFTER.TGA plus la dizaine de fichiers TGA que nous avons générés avec TEST. BEFORE.TGA et AFTER.TGA seraient triés avec le reste. Comme " AFTER " vient en premier dans l'ordre alphabétique, il sera le premier dans le fichier flic. " BEFORE " vient ensuite et tous les autres fichiers à la fin.

Et que se passe-t-il si vous avez d'autres images dans le répertoire courant et que vous n'avez pas envie de les déplacer ? Si vous avez employé les fichiers d'exemples précédents, vous pourriez employer des caractères génériques plus spécifiques :

```
dta test.tga
```

DTA traitera tous les fichiers en séquence mais ignorera tous les fichiers qui ne commencent pas par TEST. Vous voudrez aussi probablement vous assurer que les images de départ et d'arrivée de votre morphing sont correctement placées dans l'animation. Pour cela, et dans le cas de notre exemple, vous devez taper :

```
dta before.tga test*.tga after.tga
```

Parce que vous avez spécifié BEFORE.TGA et AFTER.TGA comme paramètres distincts, DTA ne triera pas ces fichiers avec les autres. AFTER.TGA apparaîtra à la fin même s'il vient avant BEFORE.TGA et tous les fichiers TEST*.TGA dans l'ordre alphabétique. Si vous ne voulez pas employer de caractères jokers, comme dans les exemples précédents, vous pouvez spécifier chaque nom de fichier. Ils seront ajoutés à votre nouveau fichier flic dans l'ordre de saisie :

```
dta test0004.tga test0002.tga test0009.tga
```

Cette méthode peut rapidement devenir ennuyeuse si vous avez beaucoup d'images. DTA offre une autre méthode. Grâce à votre éditeur de texte, vous pouvez créer un fichier texte qui contienne les noms des images que vous voulez compiler en un fichier. Par exemple, à partir du répertoire \MORPHING\CHAP4, tapez :

```
edit pics.lst
```

EDIT ouvrira un écran d'édition vide où vous pouvez taper les noms des fichiers. Entrez :

```
test0005.tga
test0003.tga
test0007.tga
test0001.tga
```

Déroulez le menu Fichier d'EDIT et cliquez sur la commande Sauvegarder. Déroulez une nouvelle fois le menu Fichier et cliquez sur Quitter. Une fois que vous avez sauvegardé le fichier, vous pouvez demander à DTA de traiter ces images en entrant le nom du nouveau fichier, précédé de " @ ". Vous venez de créer PICS.LST dans \MORPHING\CHAP4. Entrez alors :

```
dta @pics.lst
```

DTA va créer un fichier flic avec les noms des fichiers spécifiés, dans leur ordre d'apparition. C'est utile si l'ordre des fichiers ne correspond pas à l'ordre que vous désirez. Vous pouvez inclure n'importe quel type de fichiers définis dans le paragraphe suivant. Vous ne pouvez pas inclure un autre fichier de type liste.

Fichiers que DTA peut lire

DTA peut lire de nombreux types de fichiers et les convertir en fichier flic. Le format le plus courant dans le monde des graphiques PC s'appelle le format Targa (abréviation TGA) et a été développé à l'origine par Truevision pour ses cartes graphiques Targa. Les fichiers TGA sont au format 8, 16, 24 et 32 bits, compressés ou non. Puisque c'est le seul type de fichier que DMorf peut créer, vous en verrez beaucoup. DTA sait aussi lire :

◆ Fichiers GIF - Le format Compuserve Graphics Interface Format est le format le plus répandu pour les images en 256 couleurs. DTA sait lire les versions GIF87a et GIF89a.

◆ Fichiers IMG - Ce format est utilisé par le programme de lancer de rayon Vivid de Stephen Coy.

◈ Fichiers PCX - Conçu au départ pour Paintbrush de ZSoft, PCX est devenu un format graphique standard, supporté par de nombreuses applications. Il en existe plusieurs variantes, adaptées aux images noir et blanc jusqu'aux images couleurs 24 bits. DTA ne sait lire que les formats 24 bits et 8 bits (256 couleurs).

◈ Fichiers FLI/FLC - Les fichiers animations " flic ". Vous pouvez employer cette fonctionnalité pour combiner des fichiers flics ou pour ajouter des trames à un fichier flic existant. DTA les charge assez lentement. Il vaut mieux donc éviter de les utiliser.

◈ Fichiers ANI - Les programmes PC Animate Plus et 3D Workshop de Presidio génèrent ce format.

◈ Fichiers BMP/DIB - Les programmes graphiques de Microsoft Windows ainsi que Microsoft Video for Windows génèrent ce format.

DTA peut aussi traiter des fichiers d'archives compressés qui ne sont considérés que comme des conteneurs de fichiers d'images. En particulier, DTA accepte les formats suivants :

◈ LZH - Ce format est créé par le programme LHA de Haruyasu Yoshizaki. Il faut placer une copie de LHA.EXE dans le répertoire de votre chemin d'accès pour que DTA puisse accéder aux images.

◈ ZIP - Ce format est créé par le programme PKZIP de PKWare. Il faut placer une copie de PKUNZIP.EXE dans le répertoire de votre chemin d'accès pour que DTA puisse accéder aux images.

◈ ARJ - Ce format est créé par le programme ARJ de Robert Jung. Il faut placer une copie de ARJ.EXE dans le répertoire de votre chemin d'accès pour que DTA puisse accéder aux images.

Options de la ligne de commande

Quelquefois, les options par défaut de DTA ne vont pas vous donner les résultats escomptés. Vous devez demander à DTA de se comporter différemment grâce à des options entrées au niveau de la ligne de commande. Chaque option commence par un slash (/) ou un tiret (-), afin que DTA ne la confonde pas avec un nom de fichier, et elle se compose d'une ou de deux lettres qui identifient l'option. Lorsqu'une option a besoin d'un paramètre supplémentaire, il ne doit pas y avoir d'espace entre l'option et le paramètre.

Au contraire de certains programmes, DTA n'est pas sensible à la casse (majuscules/minuscules) des options. Par exemple, l'option " /FT " signifie exactement la même chose que " /ft ". Nous utiliserons donc arbitrairement des minuscules dans les exemples suivants.

Format de fichier de sortie (/F)

Par défaut, DTA va créer un fichier au format flic. Il peut aussi créer des fichiers dans certains formats qui ne sont pas propres à l'animation. Le tableau 4-1 donne une liste de tous les formats que peut créer DTA et des options qui y correspondent. Les formats de type palette s'avèrent utiles en liaison avec l'option palette (/U) que nous verrons plus loin. Les autres ne vont pas vous aider à créer des animations, mais sont indispensables si vous employez DTA pour créer des images fixes ou comme simple outil de conversion de formats.

Nom du fichier de sortie (/O)

Si vous ne lui dites pas le contraire, DTA appellera le fichier résultat ANIM.FLI. Pour donner un nom particulier (FICHIER.FLI dans cet exemple), employez l'option /O, de la manière suivante :

```
dta *.tga /ofichier
```

Vous n'avez pas besoin de spécifier d'extension parce que DTA la récupère à partir du format du fichier de sortie.

Résolution (/R#)

Si vous omettez l'option résolution, DTA créera un fichier flic de 320 x 200 pixels. C'est la résolution du format d'un fichier flic tel que définie dans

Option	Format de sortie
/FG	GIF (Compuserve Graphics Interchange Format)
/FT	format TGA (Targa)
/FM	format palette MAP (utilisé par Fractint et Piclab)
/FC	format palette COL (utilisé par Autodesk Animator)
/FI	TIFF niveaux de gris (Tagged Image File Format)
/FP	PCX (employé en particulier par PaintBrush)

Tableau 4-1 Options de format

Autodesk Animator. C'est aussi la seule résolution supportée par nombre de programmes de visualisation tels que AAPLAY, AADEMO et QUICKFLI.

DTA vous permettra de créer un fichier flic avec une résolution différente grâce à l'option /R. Le tableau 4-2 donne une liste des résolutions disponibles et des options qui vous permettent de les sélectionner.

De plus, vous pouvez employer /RA pour créer un fichier FLI de la même résolution que vos fichiers TGA, si cela est possible.

Si vous utilisez une résolution autre que 320 x 200, vous devez disposer d'un programme qui sait exploiter des fichiers flics à cette résolution. Play de Trilobyte et WAAPLAY d'Autodesk peuvent convenir si vous avez un moniteur Super VGA.

Vitesse (/S#)

Par défaut, DTA donnera une " vitesse " de 0 à votre fichier flic. Ceci signifie que le programme de visualisation affiche les trames de votre animation aussi vite que possible. Si c'est trop rapide, vous pouvez modifier la vitesse grâce à l'option /S#.

Si vous créez un fichier flic en 320 x 200 (le format d'origine d'Animator d'Autodesk), le nombre qui suit /S# représente un multiple de 1/70e de seconde. Ainsi, si vous entrez /S5, l'écran sera rafraîchi 14 fois par seconde au maximum.

Option	Résolution
/R1	320 x 200 (par défaut)
/R2	320 x 240
/R3	320 x 400
/R4	320 x 480
/R5	360 x 480
/R6	640 x 480 (le second mode le plus utile)
/R7	640 x 400
/R8	800 x 600
/R10	1024 x 768
/R12	1280 x 1024

Tableau 4-2 Options de résolution

Si vous créez un fichier flic d'une résolution autre que 320 x 200, la valeur de la vitesse représente un nombre de millisecondes.

Dans certains cas, le contenu informationnel (les modifications par trame) excède les performances de votre système. La vitesse est alors limitée par la vitesse de transfert des données à la mémoire VGA et s'il n'y en a pas suffisamment, à celle des accès au disque. Si ces derniers représentent un goulot d'étranglement, vous pouvez obtenir de meilleurs résultats en défragmentant votre disque dur grâce à des programmes comme SPEEDISK, livré avec les utilitaires Norton de Symantec.

Si vous n'obtenez pas la bonne valeur de vitesse du premier coup, vous n'êtes pas obligé de régénérer votre fichier flic. Utilisez simplement l'utilitaire FLISPEED, livré avec cet ouvrage, pour modifier le paramètre vitesse d'un fichier existant. Nous en reparlerons dans ce chapitre.

Répétition des trames (/REP#)

L'option vitesse d'un fichier flic détermine le temps d'affichage à l'écran de chaque trame. Mais chaque fichier flic n'est associé qu'à une seule vitesse. Il n'est pas possible de laisser une trame particulière plus longtemps à l'écran. Que faire si vous désirez une pause dans votre animation lors de l'affichage des images avant et après ? Il faut inclure ces images plusieurs fois. Pour cela, il suffit d'entrer les noms des fichiers plusieurs fois au niveau de la ligne de commande. Par exemple :

```
dta avant.tga avant.tga avant.tga avant.tga test*.tga apres.tga apres.tga apres.tga apres.tga /s1
```

Lorsque DTA générera ce fichier flic, il affichera quatre fois plus longtemps les images de début et de fin que les trames intermédiaires. Evidemment, cela ne fonctionnerait pas si la vitesse était égale à 0, puisque le programme n'afficherait pas plus longtemps les images non répétitives. Employez toujours au moins la valeur 1 pour la vitesse si vous souhaitez répéter des trames.

Si vous êtes paresseux et que vous aimez la facilité et l'efficacité, DTA vous permet de répéter une trame sans devoir entrer plusieurs fois son nom de fichier : l'option /REP#. Au lieu de répéter le nom du fichier, tapez simplement le nom de chaque fichier et ajoutez le nombre de répétitions. Par exemple, la commande précédente peut s'écrire :

```
dta avant.tga /rep2 test*.tga apres.tga /rep2
```

Choix des couleurs

Avec une image réellement en couleur (comme celles que vous créez avec DMorf), la couleur de chaque pixel est décomposée en trois nombres qui représentent le rouge, le vert et le bleu. Chacune de ces valeurs peut être comprise entre 0 et 255. Il y a donc 16 777 216 couleurs possibles. Une image en 320 x 200 peut contenir jusqu'à 64 000 couleurs différentes. Une image en 640 x 480 peut en contenir 307 200.

Malheureusement, les moniteurs VGA ne savent afficher que 256 couleurs simultanément. DTA doit donc se servir de ces 256 couleurs pour obtenir une approximation de toutes les couleurs de toutes les images. Pour cela, DTA utilise une astuce connue sous le nom de Quantification Octree, une alternative efficace aux autres méthodes plus courantes de réduction de la chromie. DTA analyse chacune de vos images pour trouver les couleurs qu'elles contiennent, puis sélectionne les 256 qui seront employées dans le fichier flic. Cette méthode donne la meilleure palette possible avec DTA.

Palettes de niveaux de gris (/G et /G32)

Si vous employez l'option /G (resp. /G32), DTA créera une palette de 64 (resp. 32) niveaux de gris au lieu d'employer la couleur. Cette option ne s'avère utile que si vous devez afficher vos animations sur un portable avec un affichage noir et blanc. Nombreux sont les portables qui sont limités à 32 niveaux de gris. DTA peut générer des fichiers flics à niveaux de gris beaucoup plus rapidement que leurs homologues en couleurs, en particulier parce qu'il n'a pas besoin d'analyser toutes les images.

Palette 3/3/2 (/332)

Si vous sélectionnez l'option /332, DTA va utiliser une palette qui contient des combinaisons de huit niveaux de rouge, huit niveaux de vert et quatre niveaux de bleu. C'est pourquoi la palette s'appelle 3/3/2 (nombre de bits de codage). Les résultats peuvent être surprenants, mais DTA peut les créer très rapidement.

Palette externe (/U)

Si vous disposez d'un fichier palette créé avec DTA ou avec un autre outil, au format COL (Autodesk Animator) ou MAP (PICLAB/FRACINT), il est possible de demander à DTA de l'utiliser avec l'option /U :

```
dta *.tga /uneon.map
```

Au lieu de générer sa propre palette basée sur les couleurs des images, DTA va employer les couleurs définies dans le fichier palette NEON.MAP, un fichier qui est inclus dans le programme FRACINT de Stone Soup Group.

Palette originale (/NM)

Si vous commencez avec un ensemble de fichiers GIF ou PCX en 256 couleurs qui ont déjà une palette, vous pouvez employer l'option /NM pour demander à DTA de ne pas en créer de nouvelles. DTA emploiera la palette de la première image pour toutes les autres images. Ne faites pas appel à ce processus si vos images en 256 couleurs ont des palettes différentes, sous peine d'obtenir de surprenants résultats.

Dithering

Une fois que DTA a réduit le nombre de couleurs d'une image, cette dernière n'est souvent plus aussi bonne que l'originale. Lorsque certains détails de votre image ont des couleurs " peu répétitives " (c'est-à-dire qui apparaissent rarement dans l'image), ils se retrouvent souvent associés à une mauvaise couleur de la palette. Par exemple, imaginez que vous créez une image qui contient une banane jaune dans une coupe d'oranges sur une table marron au milieu d'une pièce ocre. Toutes ces couleurs sont très proches l'une de l'autre dans le spectre. Lorsque DTA va décider quels niveaux de jaune/orange/ocre utiliser, il va choisir les nuances les plus répandues. Il y a des chances pour que vous vous retrouviez avec une banane orange, marron ou ocre.

Des groupes de couleurs différentes mais proches vont être réduits en une seule couleur. Ainsi, une zone de votre image qui contient un dégradé d'une couleur à une autre relativement proche va se transformer en plusieurs bandes de couleurs spécifiques (voir figure 4-17).

Vous pouvez employer une technique dite de *dithering* pour que vos yeux pensent voir plus de couleurs qu'il en existe réellement. Il est basé sur le principe que si un pixel peut être d'une couleur incorrecte, un groupe de pixel peut approcher la couleur correcte. DTA offre plusieurs méthodes de dithering : Floyd-Steinberg, Sierra-Lite, Ordered et Random noise.

Floyd-Steinberg et Sierra-Lite (/DF et /DS)

Floyd-Steinberg (/DF) et Sierra-Lite (/DS) sont deux méthodes de dithering de type *diffusion d'erreur* et fonctionnent toutes les deux de la manière suivante. Chaque fois qu'il n'est pas possible de conserver la couleur d'origine, DTA procède selon les étapes suivantes :

1. Calcul de la différence en valeurs rouge/vert/bleu entre les deux couleurs (*l'erreur*).

2. Division de l'erreur en erreurs élémentaires.

3. Soustraction de l'erreur aux pixels avoisinants.

DTA utilise ensuite les couleurs modifiées pour choisir les couleurs finales. Tous les pixels auront une couleur incorrecte mais vos yeux croiront voir les bonnes nuances.

Figure 4-17 Problème de bandes de couleurs

La seule différence entre le dithering F-S et S-L porte sur le nombre de pixels qui reçoivent la correction d'erreur. F-S modifie quatre pixels tandis que S-L n'en touche que deux.

De toutes les méthodes de dithering qu'offre DTA, ce sont celles-ci qui donnent normalement le meilleur résultat (voir figure 4-18). D'un autre côté, ce type de correction ne fonctionne pas très bien avec la compression des fichiers flic. Même s'il n'y a que quelques différences mineures entre les fichiers TGA de deux trames d'une animation, le dithering peut donner des différences très importantes. Les fichiers flic sont alors de taille très importante et lents à afficher. N'utilisez les options /DF et /DS que si vous disposez d'un ordinateur rapide et de beaucoup d'espace disque.

Dithering imposé (/DO#)

Le dithering imposé fonctionne sur la base d'un même motif par image. Il ajoute ou soustrait des valeurs à des couleurs selon une table de référence de motif. Cela revient à regarder votre fichier flic à travers une sorte de moustiquaire.

La valeur que vous entrez au niveau de l'option /DO# représente la " force " du motif, c'est-à-dire l'importance des valeurs qui vont modifier les couleurs. Une option de /DO1 ajoute un motif assez léger. Une option de /DO7 peut considérablement déformer votre animation et la transformer en tapisserie brodée de mauvais goût (voir figure 4-19).

Figure 4-18 Exemple de dithering par diffusion d'erreur

Le dithering imposé ne va pas autant augmenter la taille de vos fichiers flic que la méthode précédente. En effet, les nombres employés pour filtrer vos images sont toujours les mêmes d'une trame à une autre. Toutefois, les fichiers seront de taille plus importante que les fichiers flic standards.

Figure 4-19 Exemple de dithering imposé

Dithering par bruit aléatoire (/DR#)

Ce type de dithering fonctionne de manière très proche du dithering imposé, si ce n'est qu'il modifie les couleurs par des valeurs générées aléatoirement et non prédéterminées.

Vos images ne ressembleront plus à de la broderie mais plutôt à du pointillisme. Les couleurs des pixels sont moins précises qu'avec les méthodes précédentes mais le résultat s'avère souvent meilleur qu'avec le dithering imposé (voir figure 4-20).

Les nombres " aléatoires " qu'utilise DTA pour filtrer vos images ne le sont pas vraiment. Ils restent les mêmes d'une trame à une autre pour ne pas augmenter démesurément la taille des fichiers flic. Les zones qui subissent le dithering restent les mêmes d'une trame à une autre.

Mise à l'échelle (/SC)

Lorsque vous générez un fichier flic à partir d'images qui sont plus petites que la taille de l'écran, DTA va les centrer sur un fond noir. La figure 4-21 montre une image 100 x 100 sur un écran 320 x 200.

Quelquefois, ce résultat suffira mais parfois vous voudrez utiliser tout l'écran. Pour mettre à l'échelle les images par rapport à votre écran, vous pouvez employer l'option /SC :

```
dta small.tga /sc
```

Figure 4-20 Exemple de dithering par bruit aléatoire

Figure 4-21 Aucune mise à l'échelle

Figure 4-22 Mise à l'échelle grâce à l'option /SC

DTA mettra à l'échelle vos images par rapport aux dimensions de votre écran (320 x 200 sans l'option /R). La figure 4-22 montre le résultat d'une telle transformation.

Il est parfois nécessaire de mettre à l'échelle l'image sans remplir entièrement l'écran. Dans notre exemple, la mise à l'échelle d'une image 100 x 100 à 320 x 200 déforme considérablement l'image. DTA vous permet de préciser une taille spécifique :

Figure 4-23 Mise à l'échelle avec /SC200,200

```
dta small.tga /sc200,200
```

La figure 4-23 donne le résultat d'une mise à l'échelle en 200 x 200.

Cadrage (/CL)

Lorsque vous générez un fichier flic à partir d'images qui sont plus grandes que la taille de l'écran, DTA va cadrer l'image par rapport à ses bords inférieurs et droits. Pour que DTA effectue le cadrage de l'image par rapport à ses bords supérieurs et gauches, utilisez l'option /CL et le nombre de pixels de cadrage :

```
dta test*.tga /cl100,100
```

Si vous ne désirez qu'une portion de l'image, il suffit de le préciser à DTA sous la forme de quatre valeurs de cadrage avec l'option /CL :

```
dta test*.tga /cl100,50,150,120
```

Le résultat sera une zone de 150 x 120 pixels cadrée sur chaque image et au milieu de l'écran. Le coin supérieur gauche commencera au pixel situé à 100 pixels à partir de la gauche de l'image d'origine et à 50 pixels du bas.

Placement (/ST)

Lorsque vous avez une image qui est plus petite que la résolution du fichier flic, DTA va la centrer. Vous pouvez demander à DTA de la placer n'importe où grâce à l'option /ST :

```
dta small.tga /st0,0
```

Dans cet exemple, votre image sera placée au coin supérieur gauche de l'écran au lieu de son milieu.

Pondération de trames (/A# et /T#)

Dans une animation générée avec un outil d'images de synthèse, une trame représente uniquement un instant fixe particulier. Dans un film normal, une trame représente un court mais mesurable instant. Vous pouvez mieux comprendre la différence si vous appuyez sur le bouton pause d'un magnétoscope alors que des objets se déplacent très rapidement sur l'écran. Vous pouvez percevoir une sorte de flou sur les bords de ces objets, d'une trame à l'autre. Ceci s'appelle un *flou de bougé*. Cependant, dans chaque trame d'une animation, l'objet va apparaître parfaitement défini quel que soit son déplacement fictif.

Pour ajouter un peu de réalisme, DTA vous permet de donner une impression de flou en interpolant les trames. Utilisez simplement l'option /A#, avec une valeur qui représente le nombre de trames de pondération, comme dans l'exemple suivant :

```
dta *.tga /a3
```

DTA va créer un fichier flic où chaque groupe de trois images est combiné en une trame unique. Evidemment, cela signifie que vous devez créer trois fois plus d'images. Par défaut (/A sans valeur particulière), DTA effectuera sa pondération toutes les deux trames.

L'option /T# fonctionne de manière très proche à /A# mais génère une nouvelle trame pour chaque image. Une séquence créée avec /T3 ressemblera à 1-2-3, 2-3-4, 3-4-5 au lieu de 1-2-3, 4-5-6, 7-8-9.

La pondération de trames ne sert pratiquement à rien pour du morphing mais s'avère très utile avec des images de synthèse 3-D.

Multicouches (/L)

Lorsque vous donnez à DTA un ensemble de noms de fichiers, il les ajoute séquentiellement à votre fichier flic. Avec l'option /L, il placera plusieurs images sur une même trame. Pour tester cette possibilité, considérons que vous avez deux ensembles de fichiers, XXX001.TGA à XXX005.TGA et YYY001.TGA à YYY005.TGA. Entrez par exemple :

```
dta xxx*.tga /l yyy*.tga /l zzz*.tga
```

Grâce à cette commande, DTA va placer l'image XXX001.TGA sur la première trame puis y ajouter, comme avec un calque, l'image YYY001.TGA. Si XXX001.TGA a une taille inférieure ou égale à celle de YYY001.TGA, elle sera totalement recouverte. Si YYY001.TGA est un fichier 32 bits à canal alpha (voir chapitre 3), certaines parties de XXX001 se verront en transparence de YYY001.TGA dans la seconde trame. Le résultat sera identique pour XXX002.TGA et YYY002.TGA.

Chaque ensemble de fichiers s'appelle une *couche* et est séparé des autres couches sur la ligne de commande par l'option /L. Vous pouvez avoir autant de couches que peut en contenir la ligne de commande. Pour chaque couche, vous pouvez distinctement la mettre à l'échelle (/SC), la cadrer (/CL), lui appliquer un effet ping-pong (/P), la placer (/ST), la pondérer (/A) ou l'agrandir (/X).

L'emploi le plus important de /L est la composition d'images sur des arrière-plans :

```
dta bricks.gif /l before.tga morf*.tga after.tga /st110,100 /l fence.tga
```

Supposons que BRICKS.GIF est une image de 320 x 200 pixels qui représente un mur de briques et que les images de la couche intermédiaire sont une séquence de morphing en 100 x 100 et que FENCE.TGA est une autre image en 320 x 200 d'un grillage dont tous les éléments entre les fils de fer sont transparents. La première et la dernière couche ont moins de trames que la couche intermédiaire. DTA va donc répéter BRICKS.TGA et FENCE.TGA pour chacune des trames supplémentaires.

Vous pouvez aussi utiliser /L avec /ST afficher une décomposition de votre animation. Supposons que vous avez créé quatre morphings en basse résolution (160 x 100) et que vous désirez les afficher simultanément. Pour cela, entrez :

```
dta mrfa* /st0,0 /l mrfg* /st160,0 /l mrfc* /st0,100 /l mrfd* /st160,100
```

Sélection chromique (/CH,/CT#)

Le paragraphe précédent a parlé de superposition de couches qui contiennent des informations de transparence. Comment rendre transparents ces pixels ? Vous pourriez employer les fonctions d'édition de DMorf, mais que faire si vous avez un certain nombre d'images et pas suffisamment de temps ou d'envie de les traiter une par une ? L'option /CH de DTA vous permet de rendre transparentes toutes les occurrences d'une couleur. Il suffit de préciser à DTA quelle couleur sous format R,V,B, comme dans l'exemple suivant :

```
dta backgrnd.tga /l fore*.tga /ch0,0,0
```

Cette commande rend transparents tous les pixels noirs des images du premier plan.

Que faire si l'arrière-plan n'est pas d'une seule couleur ? Il suffit de faire appel à la tolérance chromique :

```
dta backgrnd.tga /l fore*.tga /ch255,0,0 /ct20
```

Cette commande rendra transparents tous les pixels plus ou moins rouges.

Saut de trames (/C#, /K#, /I#)

Si vous devez traiter un grand nombre de trames dans un de vos projets, cela peut vous prendre beaucoup de temps. DTA doit d'abord analyser chaque image pour générer une palette, puis les relire lors de la génération du fichier flic. Vous pouvez accélérer le processus grâce à l'option /C# qui demande à DTA d'ignorer certaines trames lors de la génération de la palette :

```
dta *.tga /c5
```

DTA n'analysera qu'une image sur cinq. Cette option donne habituellement de bons résultats parce que des trames successives ont toujours des couleurs très similaires. N'utilisez pas cette option si vos couleurs varient fortement d'une trame à l'autre. Si vous employez l'option /C# sans valeur, DTA considère par défaut que vous désirez /C2.

L'option /K# demande à DTA de ne pas utiliser certaines trames, ce qui raccourcira votre fichier flic. Par exemple, entrez la commande suivante :

```
dta *.tga /k3
```

DTA n'exploitera qu'une image sur trois. Si vous commencez avec 30 fichiers TGA, le fichier flic résultant n'aura que 10 trames. Si vous ne donnez aucune valeur particulière à cette option, DTA prendra par défaut /K2.

Vous pouvez utiliser conjointement les options /C# et /K# :

```
dta *.tga /k2 /c3
```

Dans cet exemple, DTA sautera une image sur deux et, des images restantes, n'en analysera qu'une sur trois pour générer la palette. Si vous commencez avec 12 images, seules les images 0 et 6 seront exploitées pour la palette et seules les images 0,2,4,6,8,10 apparaîtront dans le fichier flic.

Si vous voulez employer un nombre spécifique de trames plutôt qu'un pourcentage, utilisez plutôt /I# :

```
dta frames*.tga /i25
```

Quel que soit le nombre de fichiers en entrée, DTA créera une animation de 25 trames. S'il y a davantage que 25 images, les 25 qu'il utilisera seront uniformément prélevées dans les fichiers. S'il y en a moins, certaines seront répétées.

Les options /K# et /I# vont vous aider quand vous voudrez vous faire une idée d'une séquence, sans devoir attendre que DTA ait créé la version complète du fichier flic. Elles s'avèrent aussi bien pratiques lorsque vous vous apercevez que vous avez généré trop de trames. Au lieu d'effectuer un nouveau calcul de morphing, il suffit de demander à DTA de ne pas utiliser les trames excédentaires.

Expansion de trames (/X#)

Si votre fichier flic s'affiche de manière trop hachée, c'est probablement par manque de trames. Le meilleur remède consiste à doubler le nombre de trames. Si vous êtes pressé, vous pouvez employer l'option /X# à la place :

```
dta *.tga /x
```

DTA va créer un fichier flic qui contient une trame supplémentaire interpolée entre chaque trame normale de votre fichier flic. Si vous en désirez davantage, il suffit d'ajouter le nombre après le /X.

Vous n'aurez pas à trop vous préoccuper de cette option lorsque vous créez des images avec DMorf parce que vous pouvez toujours augmenter le nombre de trames avec DMorf. Toutefois, cette option s'avère bien pratique lorsque vous travaillez avec un programme générateur d'images de synthèse.

Ping-Pong (/P)

Nous avons déjà parlé dans cet ouvrage de l'effet de boucle qui permet de s'assurer que la fin d'un fichier flic est identique à son début. Ceci permet d'empêcher que l'animation donne l'impression d'un saut quand elle repart. Si vos images ne s'y prêtent pas, DTA peut vous y aider avec l'effet ping-pong. DTA ajoute chacune de vos images à l'animation, puis chaque trame mais en ordre inverse. Par exemple, si vous commencez avec cinq trames, le fichier flic avec ping-pong insérera les images dans l'ordre 1-2-3-4-5-4-3-2.

3-D (/3D)

L'option /3D demande à DTA de créer un effet 3-D rouge/bleu, du type qui nécessite le port de lunettes rouge-et-bleu spéciales. Supposons que vous ayez un ensemble de fichiers Targa nommés LEFT00X.TGA pour les images que doit voir l'œil gauche et un autre ensemble de fichiers nommés RGHT00X.TGA pour l'œil droit. Entrez alors la commande DTA suivante :

```
dta left*.tga rght*.tga /3d /o3d
```

DTA va générer un fichier nommé 3D.FLI. Toutes les images des fichiers LEFT00X.TGA seront affichées en rouge et celles des fichiers RGHT00X.TGA en bleu.

Vous ne pouvez pas utiliser n'importe quels fichiers pour produire un effet 3-D. Vous devez générer deux jeux d'images avec l'appareil photo placé à deux endroits différents, à une distance équivalente à celle des yeux. La création de telles images sort du cadre de cet ouvrage.

Création de fichiers Targa (/NC,/B#)

Lors de la création d'un fichier Targa (avec /FT), DTA le compresse par défaut avec le codage RLE. Malheureusement, certaines applications ne savent pas lire le format Targa compressé. Il faut alors demander à DTA de ne pas compresser grâce à l'option /NC. De même, DTA crée par défaut des fichiers Targa sous 24 bits. Vous pouvez lui demander de les créer en niveaux de gris 8 bits (/B8), au format Targa 16 bits (/B16) ou 32 bits (/B32).

C'est terminé pour DTA ; vous avez maintenant tous les éléments pour l'utiliser au mieux.

FLISPEED

Lorsque vous générez un fichier flic, vous pouvez sauvegarder le paramètre vitesse qu'utilisera le programme de visualisation pour décider du temps d'affichage de chaque trame. Il est frustrant de découvrir, après avoir attendu que DTA génère le fichier flic, que la valeur choisie est mauvaise. Vous pourriez attendre que DTA régénère votre fichier, mais il vaut mieux employer FLISPEED. Ce dernier modifie la vitesse d'un fichier flic en douceur.

FLISPEED est un utilitaire de type ligne de commande, tout comme DTA. Son premier paramètre est le nom du fichier flic. Par défaut, FLISPEED donnera la valeur 0 à la vitesse. Ceci signifie que le programme de visualisation affichera les trames le plus rapidement possible. C'est souvent trop rapide et il faut donc ajouter l'option /S pour augmenter la valeur. Si le fichier flic est au format 320 x 200 (le format d'origine d'Autodesk Animator), la valeur que vous entrez après l'option /S représente un multiple de 1/70e de seconde. Par exemple, si vous entrez /S5, l'écran sera rafraîchi au maximum 14 fois par seconde. A partir du sous-répertoire MORPHING\CHAP4, entrez

```
flispeed test.fli /s4
```

FLISPEED modifie la valeur de la vitesse dans la zone d'en-tête du fichier, sans rien toucher d'autre. Il *ne* changera *pas* la date et l'heure de création du fichier flic.

TRILOBYTE PLAY

Une fois vos fichiers Targa générés par DMorf et transformés en fichiers flic avec DTA, vous n'avez pas encore vu grand-chose. Pour y remédier, vous devez utiliser le programme Play de Trilobyte. Play peut charger totalement en mémoire des fichiers de grande taille et les afficher *rapidement*.

Il n'existe pas réellement de programmes commerciaux équivalents, si ce n'est certains éléments de packages d'animation. Animator Pro d'Autodesk et PC Animate de Presidio incluent tous les deux des programmes de visualisation de fichiers flic. Tempra Turbo Animator de Mathematica vous impose soit de visualiser le fichier dans le programme d'animation, soit de générer un script avec Media Author, un programme supplémentaire et optionnel.

Play peut afficher des fichiers flic en basse résolution (320 x 200) sur n'importe quel système VGA ou en plus haute résolution (640 x 480) sur la plupart des systèmes Super VGA. Pour des résolutions supérieures à 640 x 480, vous devez disposer des pilotes de périphériques VESA ou Super VGA compatibles VESA.

Information sur les sharewares :

Play n'est pas un programme gratuit. Si vous le trouvez utile et désirez continuer à l'utiliser après une période d'essai, vous devez vous acquitter de droits d'enregistrement de $39,00 à Trilobyte, P.O. Box 1412, Jacksonville, OR 97530.

Utilisation de PLAY

Pour exécuter Play, il suffit d'entrer la commande " PLAY " avec le nom du fichier flic que vous désirez afficher :

```
play toto.fli
```

Play affichera ce fichier flic, en boucle, à la vitesse initialement stockée dans l'en-tête. Il suffit d'appuyer sur ESC pour quitter le programme.

Modification de la vitesse

Si l'affichage du fichier flic est trop lent ou trop rapide, vous pouvez en modifier la vitesse pendant la visualisation grâce aux touches numériques de votre clavier de 1 à 9. La touche 1 donnera la vitesse la plus rapide possible, tandis que 9 sera très lent.

Vous pouvez aussi modifier la vitesse d'affichage grâce à l'option -s avec une valeur de 0 à 255 :

```
play toto.fli -s20
```

Répétition

Par défaut, Play continuera à afficher l'animation tant que vous n'appuierez pas sur ESC. Vous pouvez demander à Play de n'afficher le fichier flic qu'un certain nombre de fois grâce à l'option -l :

```
play toto.fli -l5
```

Dans cet exemple, Play affichera le fichier flic cinq fois puis retournera au DOS.

Mémoire

Play aime charger des fichiers flic entiers en mémoire avant de les afficher. Si ce n'est pas possible, l'affichage sera beaucoup plus lent. Si vos fichiers flic ont une taille trop importante pour la mémoire conventionnelle, il faut que vous disposiez de mémoire paginée (EMS) grâce à un gestionnaire de mémoire comme EMM386.SYS ou QEMM386.SYS. Play ne sait pas utiliser de la mémoire étendue (XMS). Si possible, employez un gestionnaire de mémoire qui vous permette de disposer à la fois de XMS et de EMS, à la demande. QEMM-386, 386(MAX) et la version DOS 6 de EMM386.SYS en sont des exemples. Veuillez consulter la documentation de votre gestionnaire de mémoire pour plus d'informations.

Modification de la luminosité

Vous pouvez modifier la luminosité des couleurs de votre fichier flic grâce aux touches PGUP (plus lumineux) et PGDN (plus sombre).

RÉSUMÉ

Maintenant que vous connaissez toutes les options qui se cachent derrière DMorf, DTA, FLISPEED et Play, il est temps de jouer véritablement avec ces programmes. Le chapitre suivant va vous donner quelques exemples amusants qui seront, nous l'espérons, sources d'inspiration.

Pour plus d'informations, n'hésitez pas à lire la documentation incluse avec les programmes. Chaque programme est livré avec des fichiers de documentation que vous trouverez dans le répertoire \MORPHING\TOOLS. Toutefois, cet ouvrage couvre la grande majorité des caractéristiques de ces programmes.

N'oubliez pas que tous les programmes de cet ouvrage sont des sharewares, excepté FLISPEED qui est gratuit. Le concept du shareware vous permet d'essayer un logiciel avant de l'acheter. Mais ce concept ne peut vivre qu'avec le support de ses utilisateurs.

5

Collection de morphings

CHAPITRE 5

Collection
de morphings

Ce chapitre va présenter une collection d'animations qui sont des exemples d'utilisation des outils et des astuces du début de cet ouvrage. Vous en savez déjà beaucoup, mais ces exemples vont vous apprendre à mettre vos connaissances en pratique. Ils vont vous montrer les différents types et variantes de morphings auxquels vous pouvez aboutir. Certains sont simples, d'autres plus complexes. Qu'ils transforment des personnes, des animaux, des personnes *et* des animaux, des voitures, des robots ou des maisons, j'espère qu'ils seront pour vous des sources inépuisables d'inspiration.

Dans chaque section de ce chapitre, vous trouverez :

◈ Des exemples de trames des animations,

◈ Des idées pour modifier le morphing présenté selon vos propres goûts,

◈ Une description des commandes DMorf ou DTA particulières à l'exemple,

◈ Des détails sur la manière dont les images ont été créées.

Dans le répertoire \MORPHING\CHAP5, qui a été créé sur votre disque dur lors de l'installation des disquettes d'accompagnement, il existe un sous-répertoire pour chaque morphing. Ce sous-répertoire contient toutes les images et les maillages utilisés pour générer le morphing, ainsi qu'un fichier de traitement par lot que vous pouvez employer pour créer la séquence.

DANNY ET GEORGE

La plus belle transformation que nous pouvons voir dans la nature est la croissance d'un enfant. Mais elle prend un certain temps ! Si, au bout de quelques années d'attente, vous êtes impatient, vous pouvez accélérer le processus à coup de morphing. Vous pouvez vous faire une idée de l'aspect futur d'un petit garçon grâce à un morphing sur son image et celle de son père. Ce n'est pas très scientifique, mais c'est assez amusant.

Notre exemple, D&G, montre Danny Dolmat qui se transforme en son père, George. C'est un exemple du type de morphing le plus simple et le plus courant, celui entre deux visages humains. C'est assez facile parce que les images ont les mêmes caractéristiques : tête, chevelure, yeux, oreilles, nez, bouche, menton et épaules. Seul leur emplacement respectif diffère. La figure 5-1 montre une série de trames de cette animation.

Génération du morphing de Danny et George

Pour assembler l'animation, lancez D&G.BAT en tapant :

```
cd\morphing\chap5\d&g
d&g
```

Le fichier de traitement par lot D&G.BAT (voir listing 5-1) va lancer DMorf puis DTA pour créer un fichier flic nommé D&G.FLI.

La première commande demande à DMorf de charger le fichier maillage D&G.MSH. L'option /GO lui indique de lancer immédiatement le morphing puis de revenir au DOS. Ainsi, tout sera automatique et ne nécessitera aucune intervention de votre part. DMorf va générer une série de fichiers au format Targa, DG00000X.TGA.

Figure 5-1 La séquence de morphing de Danny et George

La seconde commande demande à DTA de générer le fichier flic à partir des images précédentes. Les trois premiers paramètres indiquent à DTA le nom de l'image de départ (DANNY.TGA), les noms des trames intermédiaires et le nom de l'image d'arrivée (GEORGE.TGA). Il n'est pas nécessaire de préciser l'extension .TGA puisque DTA sait que c'est l'extension par défaut. Le quatrième paramètre, /OD&G, donne le nom du fichier généré " D&G ". Là aussi, il ne sert à rien de préciser l'extension .FLI. Le dernier paramètre, /P, demande à DTA d'appliquer un effet de " ping-pong " aux images de la seconde couche, c'est-à-dire de les ajouter une seconde fois, mais dans le sens inverse.

Listing 5-1 D&G.BAT

```
dmorf d&g.msh /go
dta danny dg*.tga george /od&g /p
```

Pour visualiser votre fichier flic nouvellement créé, utilisez le programme Play en entrant, à partir du sous-répertoire MORPHING\CHAP5\D&G :

```
play d&g.fli
```

Discussion

Ces deux images ont été scannérisées à partir de photographies de famille grâce à un scanner à plat couleur Hewlett-Packard Scanjet IIc. L'arrière-plan a été remplacé par une couleur neutre grâce à un programme de dessin. La figure 5-2 montre le maillage employé pour créer ce morphing.

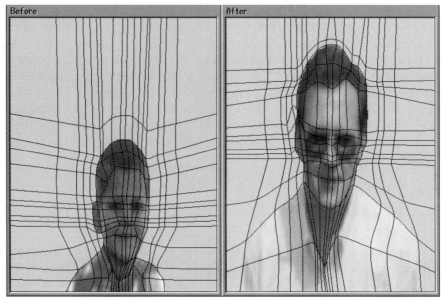

Figure 5-2 L'écran de DMorf

PENDRAGON ET P.J.

De nombreux débutants en morphing aiment s'essayer sur la transformation d'un mari en sa femme. Dans notre exemple, Pendragon Enzmann se transforme en sa ravissante femme P.J. La figure 5-3 montre quelques trames de l'animation.

Figure 5-3 Séquence de morphing de Pendragon et P.J.

Génération du morphing de Pendragon et P.J.

Passez dans le bon répertoire et lancez le fichier de traitement par lot PENPJ.BAT :

```
cd\morphing\chap5\penpj
penpj
```

Le fichier de traitement par lot (voir listing 5-2) lance tout d'abord DMorf pour le fichier de maillage puis génère un fichier flic nommé PENPJ.FLI. Tout comme dans les autres exemples de ce chapitre, DMorf génère les trames intermédiaires grâce au fichier de maillage PENPJ.MSH et DTA superpose les nouvelles images (qui contiennent des informations de transparence *via* leur canal alpha) sur une nouvelle image d'arrière-plan.

Listing 5-2 PEN&PJ.BAT

```
dmorf pen&pj.msh /go
dta bricks.gif /l pen.tga ppj*.tga pj.tga /p /open&pj
```

Discussion

Toutes les images de ce morphing ont été capturées sur une vidéo grâce à une carte PC-Hurricane. Les images de Pendragon et P.J. ont été enregistrées chez eux à Newton, Massachusetts. Photoshop a permis de supprimer les arrière-plans. Le mur de briques vient d'un magasin de Boston. Cette image a été remise à l'échelle et transcrite en fichier GIF 256 couleurs grâce à DTA.

La figure 5-4 montre le maillage de contrôle et les images employées pour l'animation. La difficulté de ce type de morphing tient dans le problème posé

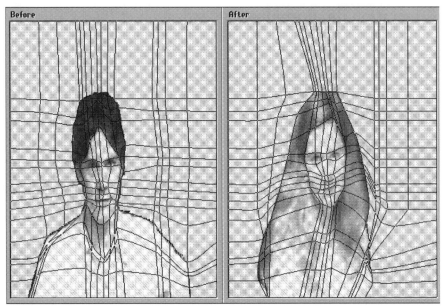

Figure 5-4 Maillage de contrôle pour le morphing de Pendragon et P.J.

par la chevelure excédentaire. Dans ce morphing, nous avons associé les longs cheveux de P.J. aux contours du visage de Pendragon et à ses épaules. Le reste des images est traité de manière traditionnelle.

Figure 5-5 Séquence de morphing Hibou/Ours

HIBOU/OURS

Dans *Willow*, le premier film à utiliser des effets spéciaux de transformation par ordinateur, le magicien miniature Willow tente de redonner à la sorcière Raziel sa forme humaine initiale. Encore débutant en magie et ne connaissant pas bien les bonnes formules magiques, il la transforme d'abord en plusieurs autres animaux tels que chèvre, autruche, ou tigre avant d'aboutir au résultat attendu. Essayons d'obtenir un résultat similaire.

Il est plus difficile de transformer des animaux que des humains parce que leurs caractéristiques ne correspondent pas toujours. Un chihuahua et un bouledogue sont des races différentes de la même espèce et sont pourtant très différents. Le morphing entre animaux d'espèces différentes peut être encore plus difficile. Dans notre exemple, nommé OWLBEAR, nous allons essayer de transformer un ours en hibou. La figure 5-5 montre une série de trames de cette animation.

Génération du morphing Hibou/Ours

A partir du sous-répertoire MORPHING\CHAP5\OWLBEAR, vous pouvez lancer le fichier de traitement par lot OWLBEAR.BAT pour générer la séquence en tapant :

```
cd\morphing\chap5\owlbear

owlbear
```

Le fichier de traitement par lot OWLBEAR.BAT (voir listing 5-3) va lancer DMorf et DTA. Cette commande DMorf est identique à celle de l'exemple précédent, si ce n'est le nom du fichier de maillage. Il va effectuer un morphing entre les images BEAR.TGA et OWL.TGA pour créer une série de fichiers images au format Targa, OWBR000X.TGA. DTA va ensuite générer un

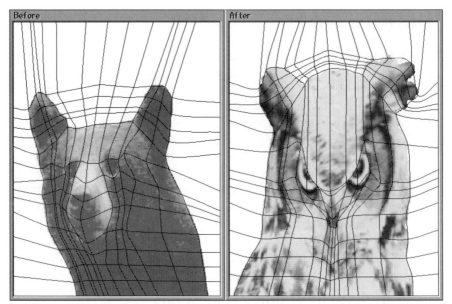

Figure 5-6 Maillage de contrôle pour le morphing Hibou/Ours

fichier flic, OWLBEAR.FLI, à partir de ces images. Notez que l'option /REP9 indique à DTA de répéter chaque image 9 fois (10 affichages). L'option /REP ne peut fonctionner correctement que si le paramètre vitesse d'un fichier flic est supérieur à 0. C'est pourquoi la commande inclut aussi l'option /S7 pour que la cadence d'affichage soit de 1/10e de seconde. Ainsi, les trames de départ et d'arrivée seront maintenues à l'écran pendant une seconde.

Figure 5-7 Séquence de morphing de Danny et Sarah

Listing 5-3 OWLBEAR.BAT

```
dmorf owlbear.msh /go
dta bear /rep9 owbr* owl /rep9 /oowlbear /s7
```

Pour afficher votre fichier flic nouvellement créé grâce au programme, passez dans le répertoire MORPHING\CHAP5\OWLBEAR et entrez :

```
play owlbear.fli
```

Discussion

Les deux images ont été enregistrées en vidéo au Boston Museum of Science et capturées grâce à une carte de numérisation PC-Hurricane (voir chapitre 3 pour plus d'informations). L'ours était empaillé mais le hibou était vivant.

Même si nous avons transformé un énorme mammifère en oiseau, le travail a été assez simple. Les oreilles de l'ours correspondent assez bien avec celles du hibou. Les seules complications proviennent du museau de l'ours et du bec du hibou. La figure 5-6 montre le maillage choisi pour créer ce morphing.

DANNY ET SARAH

Dans les premiers temps, il est amusant de transformer un visage humain en un autre mais tout finit à force par lasser. Pour continuer à amuser les enfants, vous aurez besoin d'innovation. Cet exemple, nommé D&S, illustre une variante : la technique de morphing symétrique présentée au chapitre 3. Danny Dolmat et sa jeune sœur Sarah s'y font face devant un ciel plein de nuages. Danny commence à se transformer en Sarah et réciproquement. La figure 5-7 montre une série de trames de cette animation.

Génération du morphing de Danny et Sarah

Passez dans le sous-répertoire D&S et exécutez le fichier de traitement par lot D&S.BAT pour générer le morphing en tapant :

```
cd \morphing\chap5\d&s
d&s
```

Le fichier de traitement par lot D&S.BAT (voir listing 5-4) va lancer DMorf et DTA. La commande DMorf de ce fichier batch est équivalente à celles des exemples précédents. Elle effectue le morphing des images DSL.TGA et DSR.TGA et génère les fichiers Targa DNSR000X.TGA.

La commande DTA contient certaines options nouvelles et d'autres plus familières. La première indique à DTA le nom du fichier d'arrière-plan, CLOUDY.TGA. La seconde, /L, demande à DTA de placer le reste des images (seconde couche) devant l'image d'arrière-plan. Les trois options suivantes donnent les noms de l'image de départ, des trames intermédiaires et de l'image d'arrivée. Ces fichiers servent de premier plan et contiennent des informations de transparence *via* leur canal alpha (voir chapitre 3) pour laisser apparaître l'arrière-plan à certains endroits.

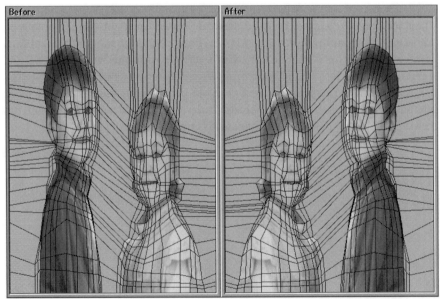

Figure 5-8 Maillage pour le morphing de Danny et Sarah

L'avant-dernière option, /P, demande à DTA d'appliquer un effet " ping-pong " sur les images de la seconde couche. Si vous voulez appliquer cet effet sur les images de la première couche, vous devez placer une autre option /P avant l'option /L. C'est toutefois inutile dans le cas de notre exemple puisque la première couche ne contient qu'une seule image qui sera répétée dans l'animation. La dernière option, /OD&S, donne le nom du fichier flic à créer.

Listing 5-4 D&S.BAT

```
dmorf d&s.msh /go
dta cloudy.tga /l dsl.tga dnsr*.tga dsr.tga /p /od&s
```

Pour afficher votre fichier flic nouvellement créé grâce au programme, passez dans le répertoire MORPHING\CHAP5\D&S et entrez :

```
play d&s.fli
```

Discussion

La première image, DSL.TGA, a été scannérisée grâce au scanner couleur HP Scanjet et au logiciel DeskScan pour Windows. L'arrière-plan a été supprimé grâce aux fonctions d'édition de DMorf (voir chapitre 3). La seconde image, DSR.TGA, n'est qu'une version " miroir " de la même image, *via* une symétrie horizontale.

Tout comme les images, le maillage de contrôle est symétrique : la moitié gauche du maillage est l'image en miroir de la moitié droite. La figure 5-8 montre le maillage employé pour ce morphing. Pour plus d'informations sur les morphings symétriques, reportez-vous au chapitre 3.

ÉROSION

L'érosion est un autre phénomène naturel que vous pouvez voir dans la vie courante si vous savez attendre suffisamment longtemps. Les rochers, les statues et tout autre objet exposés continuellement aux éléments tendent à vieillir au fil des ans sous les actions répétitives de l'eau et du vent. Accélérons un peu les choses grâce au morphing.

Dans cet exemple, nommé Érosion, une boule rouge brillante est posée sur une surface réfléchissante. La surface de la boule est lisse mais va devenir pleine de cratères à la fin de notre animation.

Figure 5-9 Séquence érosion...

Génération du morphing Érosion

Passez dans le répertoire adéquat et lancez le fichier de traitement par lot ERODE.BAT :

```
cd\morphing\chap5\erode
erode
```

Le fichier de traitement par lot ERODE.BAT (voir listing 5-5) lance tout d'abord DMorf avec ERODE.MSH, ce qui a pour effet de créer une série de fichiers Targa. Ensuite, il exécute DTA qui génère un fichier nommé ERODE.FLI, en superposant les fichiers TGA sur l'image d'arrière-plan.

Listing 5-5 ERODE.BAT

```
dmorf erode.msh /go
dta sky.gif /l regular.tga fade*.tga eroded.tga /p /oerode
```

Discussion

Vous pouvez créer des effets et des images très réalistes grâce à des programmes de lancer de rayon comme PolyRay ou POV-Ray. Les techniques de placage de texture vous permettent d'appliquer toutes sortes de finitions aux objets, comme par exemple l'aspect du bois ou du marbre. Il est même possible de rendre l'aspect du métal. Mais il est plus difficile de transformer une texture en une autre. C'est *possible*, mais cela s'avère plus facile par morphing d'images.

Les deux images ont été générées par PolyRay, et vous trouverez les fichiers correspondants sur les disquettes d'accompagnement. La première image,

REGULAR.TGA, provient de REGULAR.PI ; la seconde, ERODED.TGA, de ERODED.PI.

La figure 5-10 montre les fenêtres avant et après DMorf pour le morphing Erosion. Aucun maillage ne semble visible. En effet, aucun maillage n'est nécessaire puisque la symétrie des deux images est identique. Seule la texture change et l'effet de morphing se limite à un mélange par atténuation (fading).

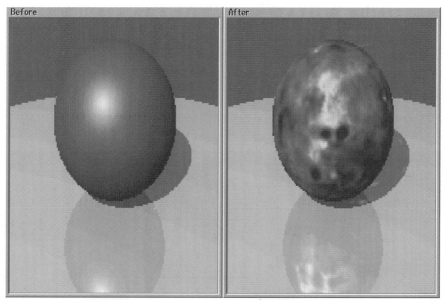

Figure 5-10 Maillage pour le morphing Érosion

CHIEN

Il est toujours amusant de transformer un être humain en animal, sans parler des transformations de type loup-garou. Presque tout le monde en a vu au moins une au cinéma ou à la télévision : *Wolf Man* de Lon Chaney, *The Howling* ou *An American Werewolf in London*, voire dans le clip " Thriller " de Michael Jackson. Mais la plupart de ces effets ont été accomplis par des moyens traditionnels, tels que des effets de caméra ou des déformations de maquillage.

Un morphing donne normalement de meilleurs résultats et coûte certainement moins cher puisque vous n'avez pas à payer le personnel de maquillage, voire l'acteur " sous " le maquillage ! Et toute modification en cours de route vous coûtera aussi moins cher. Par exemple, dans le film *Indiana Jones et la Dernière Croisade*, Industrial Light and Magic a créé un effet de décomposition et de vieillissement grâce au morphing entre un acteur et trois marionnettes.

Dans notre exemple, nommé Chien, l'auteur a succombé à la pleine lune et s'est transformé en Alex, le chien de sa tante Rosie. La figure 5-11 montre une séquence de trames de cette animation.

Génération du morphing CHIEN

Passez dans le répertoire adéquat et lancez le fichier de traitement par lot DOG.BAT en entrant :

```
cd\morphing\chap5\dog
```

```
dog
```

Figure 5-11 La séquence de morphing pour Chien

Le fichier de traitement par lot DOG.BAT (voir listing 5-6) exécute d'abord DMorf avec le fichier de maillage DOG.MSH et génère un fichier flic nommé DOG.FLI.

Listing 5-6 DOG.BAT

```
dmorf dog.msh /go
dta stars /l moon /st0,0 /l dkm /rep5 ddog* hound /odog /rep5 /p
```

Cette animation utilise trois couches d'images. La première, STAR.TGA, est un champ d'étoiles vide. La seconde, MOON.TGA, qui suit l'option /L, est l'image d'une pleine lune. Le fichier qui constitue la séquence de morphing suit la seconde option /L et constitue la couche supérieure de l'animation.

La lune est une couche distincte et n'appartient pas au ciel étoilé parce que cela facilite son positionnement. L'option /ST demande à DTA de placer le coin supérieur gauche de l'image de la lune en haut à gauche de l'écran. Sans cette option, la lune aurait pu se retrouver au centre, juste derrière la tête, parce que l'image est plus petite que les deux autres.

Une nouvelle fois, nous employons l'option /REP pour que l'animation marque une pause au début et à la fin.

Discussion

La première image, DKM.TGA, a été capturée à partir d'une vidéo grâce à la carte de numérisation PC-Hurricane (voir chapitre 3). Nous en avons supprimé l'arrière-plan grâce aux fonctions d'édition de DMorf (voir chapitre 3). La seconde, DOG.TGA, a été scannérisée à partir d'une photographie de famille et manipulée grâce à PhotoShop pour Windows pour lui ajouter une

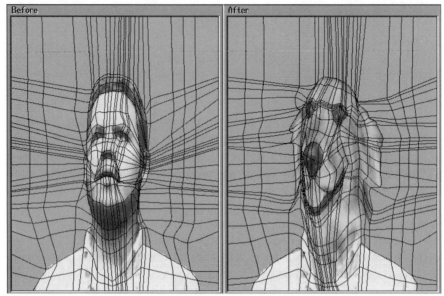

Figure 5-12 Maillage pour le morphing Chien

chemise (il portait un tee-shirt à l'origine...). L'image d'arrière-plan, STARS.TGA, a été générée avec POV-Ray. Quant à MOON.TGA, elle provient d'une vidéo de la lune géante exposée au Boston Museum of Science. Les arrière-plans de DOG.TGA et MOON.TGA ont été supprimés et remplacés par une couleur unique grâce à PhotoShop. DMorf a ensuite servi pour la sélection chromique de la transparence.

La figure 5-12 montre le maillage employé pour créer la séquence d'animation.

VOITURES

Dans la nouvelle *La Métamorphose,* de Franz Kafka, le personnage principal se transforme en un insecte dégoûtant. Pourquoi ne pas tenter l'expérience si nous disposions d'images d'insectes géants ? Nous nous limiterons à une autre race de parasites, l'espèce automobile (N.D.T. : le traducteur ne partage pas cette opinion !). Cette scène, nommée Voitures, commence par l'image de la bonne vieille coccinelle de Volkswagen. Comme vous pouvez le voir, cette dernière va se transformer en voiture de sport moderne. De nombreux

Figure 5-13 La séquence de morphing de Voitures

propriétaires aimeraient probablement bien que ça leur arrive, mais si vous avez des enfants qui adorent la série de films *Un amour de Coccinelle* de Disney, vous pourrez toujours tenter la manipulation inverse. La figure 5-13 montre une séquence de trames de cette animation.

Génération du morphing Voitures

Passez dans le répertoire adéquat et lancez le fichier de traitement par lot CARS.BAT :

```
cd\morphing\chap5\cars
cars
```

Le fichier de traitement par lot (voir listing 5-7) exécute tout d'abord DMorf avec le fichier de maillage pour générer le morphing entre BUG.TGA et SPCAR.TGA. Il crée alors une série de fichiers TGA, CARS000X.TGA. Puis, DTA compile toutes ces images en un fichier flic nommé CARS.FLI.

Listing 5-7 CARS.BAT

```
dmorf cars.msh /go
dta bug.tga cars*.tga spcar.tga /p /ocars.fli
```

Figure 5-14 Maillage pour Voitures

Discussion

Ces deux images ont été enregistrées par un camescope puis capturées grâce à une carte PC-Hurricane. La première voiture (BUG.TGA) était garée dans la Dartmouth Street à Boston, tandis que la seconde l'était au parking de la gare Route 128 Commuter Rail. J'ai rendu les arrière-plans transparents grâce aux fonctions d'édition de DMorf.

Figure 5-15 Séquence de morphing pour Dino-Boy

Certains angles et courbes des deux images ont compliqué l'adaptation des splines, si bien que le morphing a nécessité quelques points de contrôle supplémentaires, en particulier au niveau des coffres des voitures. La figure 5-14 montre le maillage utilisé pour créer l'animation.

DINO-BOY

Bon nombre d'entre nous, et plus particulièrement les enfants, adorent les dinosaures. Nous ne serions probablement pas aussi enthousiastes s'ils étaient encore vivants et se complaisaient à nous dévorer. Heureusement, ils sont tous morts, supprimés de ce monde par un astéroïde géant qui a percuté la Terre ou Dieu sait quel autre cataclysme naturel. Mais ont-ils réellement disparu ? Peut-être certains rôdent-ils encore, sous d'habiles déguisements. Dans ce morphing (voir figure 5-15), nous transformons un petit garçon en un *Tyrannosaurus Rex* géant.

Génération du morphing Dino-Boy

Pour assembler l'animation Dino-Boy grâce au fichier de traitement par lot fourni, passez dans le répertoire adéquat et exécuter le fichier batch en tapant :

```
cd\morphing\chap5\dino
dino
```

Le fichier de traitement par lot DINO.BAT (voir listing 5-8) lance DMorf et DTA. DTA va générer un fichier DINOBOY.FLC en superposant les fichiers TGA de DMorf au-dessus d'une image d'arrière-plan.

La première ligne demande à DMorf de traiter le morphing. Il va transformer BRICK.TGA, l'image du petit garçon, en REX.TGA, le *Tyrannosaurus Rex* géant, et créer une série d'images au format Targa, DINO000X.TGA. La seconde commande génère un fichier nommé DINOBOY.FLI en superposant ces images au-dessus d'une image d'arrière-plan nommée GRASSY.TGA.

Listing 5-8 DINOBOY.BAT

```
dmorf dinoboy.msh /go

dta grassy.tga /l brick.tga dino*.tga rex.tga /p /odinoboy
```

Discussion

Ces deux images ont été enregistrées sur un camescope et capturées grâce à la carte PC-Hurricane. La première est une pose de Michael " Brick " Maloney, le fils de sept ans de mes amis. La seconde est l'attraction centrale de la section dinosaures du Boston Museum of Science, un modèle reconstitué d'un *Tyrannosaurus Rex*. L'image d'arrière-plan, GRASSY.TGA, a été capturée de la même manière avec toutefois un problème d'éclairage au niveau d'une

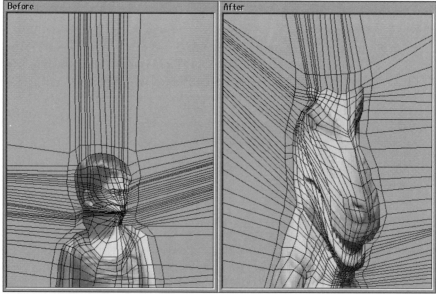

Figure 5-16 Maillage pour Dino-Boy

colline un peu trop sombre. Photoshop avait permis d'y remédier grâce à quelques filtres.

La figure 5-16 montre le maillage employé pour créer l'animation du morphing.

Les détails de ce maillage sont nombreux, tout particulièrement sur les visages, comme le montrent les figures 5-17 et 5-18.

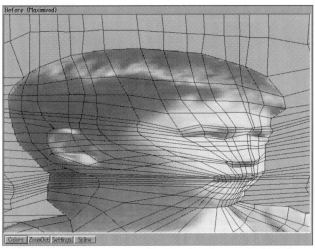

Figure 5-17 Vue agrandie sur le visage de Brick

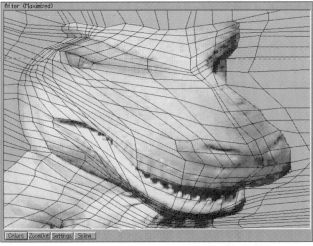

Figure 5-18 Vue agrandie sur le visage du T-Rex

Figure 5-19 Séquence de morphing pour Toits

TOITS

Il n'y a pas que les personnes, les animaux, les sphères, les voitures et les robots qui peuvent faire l'objet de morphing. Cet exemple de métamorphose architecturale va nous permettre de transformer une cheminée en clocher. La figure 5-19 montre une séquence de trames de ce morphing.

Génération du morphing Toits

Passez dans le répertoire adéquat et exécutez le fichier de traitement par lot ROOFS.BAT en tapant :

```
cd\morphing\chap5\roofs
roofs
```

Ce fichier batch (voir listing 5-9) lance tout d'abord DMorf puis DTA pour générer un fichier flic nommé ROOFS.FLC.

Listing 5-9 ROOFS.BAT

```
dmorf roofs.msh /go
dta chimney.tga roof*.tga thingie.tga /p /r6
```

Discussion

Ces deux images ont été enregistrées par un camescope à Westwood, Massachussetts (gare Route 128 Amtrak/Commuter Rail) et capturées grâce à une carte PC-Hurricane. Le clocher est sur le toit du bâtiment principal de la gare et la cheminée vient du bâtiment de la salle d'attente.

Ce morphing est un parfait exemple de la nécessité, quelquefois, de *ne pas* employer de courbes splines pour les maillages de contrôle. Tous les bords des images sont des lignes droites et doivent le rester. La figure 5-20 montre le même morphing avec l'option Spline Meshes activée.

La figure 5-21 montre le maillage utilisé pour cette animation.

VOLER...

Depuis l'aube des temps et à travers des histoires comme celles de la Grèce antique avec Dédale et Icare et leurs ailes faites de plumes et de cire, les hommes rêvent de voler comme des oiseaux. Bien évidemment, ce sujet de préoccupation est devenu très populaire et a inspiré de nombreux films. Les spécialistes des effets spéciaux ont fait voler des acteurs grâce à de nombreuses

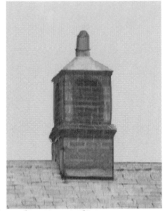

Figure 5-20 Version du morphing Toits avec des courbes de type spline

techniques forts différentes, du dessin d'animation dans les premiers Superman, en passant par des mannequins lancés par des catapultes ou des fusées, jusqu'à suspendre un acteur dans les airs grâce à des câbles. C'est certainement dans le film *Superman: the Movie,* avec Christopher Reeve

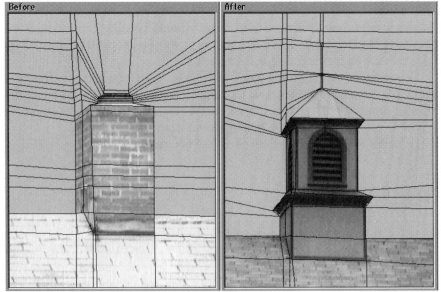

Figure 5-21 Maillage employé pour Toits

suspendu dans les airs avec un câble, qu'on remarque l'effet le plus surprenant.

Grâce aux fonctions de déformation de DMorf, vous pouvez générer votre propre séquence de " vol " avec un budget très limité. Dans notre exemple, nommé Voler, nous allons faire voler Sarah Dolmat dans le ciel. La figure 5-22 montre une série de trames de cette animation.

Génération de la déformation

Passez dans le répertoire adéquat et lancez le fichier de traitement par lot FLYING.BAT en tapant :

```
cd\morphing\chap5\flying
flying
```

Le fichier de traitement par lot (voir listing 5-10) lance tout d'abord DMorf pour les trois fichiers de maillage, puis génère un fichier flic nommé FLYING.FLI. Une seule nouvelle technique apparaît : l'option /CL pour DTA. Elle demande à DTA de n'utiliser qu'une partie des images de la seconde couche. Habituellement, /CL a besoin de quatre nombres, pour le côté gauche de la fenêtre de cadrage, le côté supérieur puis la largeur et la hauteur de la fenêtre. Dans notre cas, il n'y a que les nombres qui correspondent au côté gauche et à la largeur. Il n'y aura donc pas de cadrage vertical. Le paragraphe " Discussion " va expliquer les raisons de ce cadrage.

Figure 5-22 Trames de la séquence Voler

Listing 5-10 FLYING.BAT

```
dmorf flying.msh /go
dta cloudy.gif /l sarah.tga fly*.tga /cl320,320 /oflying
```

Discussion

Comme nous l'avons mentionné précédemment, c'est une déformation et non un morphing. Il n'y a donc qu'une seule image : SARAH.TGA. Le maillage de contrôle de cette séquence (voir figure 5-23) fait déplacer Sarah de la gauche

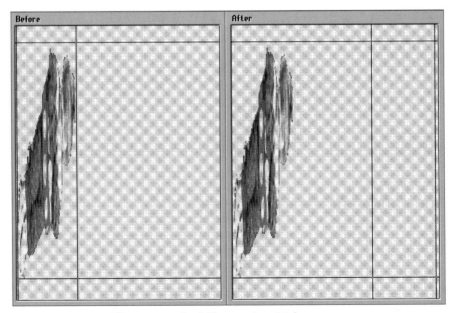

Figure 5-23 Maillage pour la déformation Voler

vers la droite. L'image semble presque aplatie dans le sens horizontal parce qu'elle est très large : 960 x 133 pixels. L'image complète de Sarah prend environ un tiers de l'image. Le cadrage défini dans la ligne de commande DTA permet de ne pas montrer les deux tiers restants. Au début, on ne voit pas Sarah du tout. Elle devient ensuite visible, progressivement. Elle traverse le dernier tiers de l'image pour disparaître totalement sur le bord droit.

SARAH.TGA a tout d'abord été scannérisée à partir d'une photographie grâce à un scanner à plat Scanjet II de Hewlett-Packard. J'ai rendu transparent l'arrière-plan de l'image grâce à une combinaison de fonctions PhotoShop. Puis j'ai fait effectuer une rotation et une déformation à l'image, une fois de plus grâce à PhotoShop.

MONTRE

Les morphings n'ont pas nécessairement de signification particulière. Quelquefois, c'est juste pour s'amuser ou pour le plaisir de réaliser un effet *très* spécial. Souvent, les objets n'ont pas grand-chose en commun. Dans cet exemple, nommé Montre, nous allons transformer une banale montre en planète Terre. La figure 5-24 montre une séquence de trames de cette animation.

Génération du morphing Montre

Passez dans le répertoire adéquat et lancez le fichier de traitement par lot WATCH.BAT :

```
cd\morphing\chap5\watch
watch
```

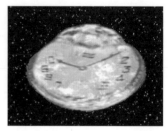

Figure 5-24 Trames du morphing Montre

Le fichier de traitement par lot (voir listing 5-11) lance tout d'abord DMorf pour les trois fichiers, puis génère un fichier flic nommé WATCH.FLI.

Listing 5-11 WATCH.BAT

```
dmorf watch.msh /go
dta stars.gif /l watch.tga wrth*.tga earth.tga /p /owatch
```

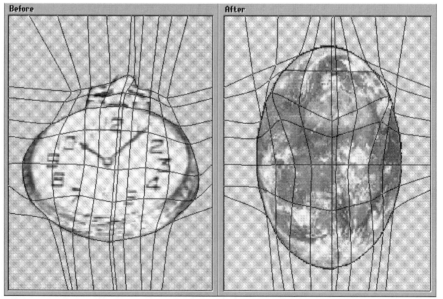

Figure 5-25 Maillage pour le morphing Montre

Discussion

L'image de la montre a été enregistrée sur vidéo à partir d'une vitrine d'un bijoutier et transférée sur ordinateur grâce à la carte de numérisation PC-Hurricane. L'image de la Terre provient d'une photographie de la NASA, disponible sur le forum SPACEFORUM de CompuServe sous le nom SH24.GIF. L'image d'arrière-plan, STARS.GIF, a été créée grâce à POV-Ray.

C'est la même image que celle que nous avons utilisée pour le morphing Chien.

La figure 5-25 montre le maillage de contrôle et les images employées pour l'animation. Il n'est pas nécessaire que les détails internes de chaque objet correspondent exactement parce qu'ils sont trop différents. Par contre, il faut bien identifier leurs silhouettes générales. La seule difficulté provient du remontoir de la montre qu'il faut compresser par rapport au bord supérieur de la Terre.

ÉVOLUTION PLANÉTAIRE

Malgré la métamorphose précédente, la Terre ne s'est pas créée à partir d'une montre de l'espace géante. Dans la réalité, un long processus a permis de collecter de la poussière de l'espace sous forme d'un énorme nuage. Puis des anneaux se sont développés autour d'un point central qui est devenu le Soleil. Le troisième anneau à partir du centre s'est compressé en une sphère de roches en fusion. Elle s'est ensuite refroidie et s'est entourée d'une croûte. La surface est devenue solide. Des gaz s'en sont échappés sous forme de nuage. La pluie est apparue ainsi que les océans qui ont rempli les basses terres. Nous avons décidé de reproduire ce lent processus de plusieurs millions d'années sous la forme d'un morphing, Planète. La figure 5-26 montre une séquence de trames de cette animation.

Génération du morphing Planète

Passez dans le répertoire adéquat et lancez le fichier de traitement par lot PLANET.BAT :

```
cd\morphing\chap5\planet
```

```
planet
```

Le fichier de traitement par lot (voir listing 5-12) lance tout d'abord DMorf pour les sept fichiers, puis génère un fichier flic nommé PLANET.FLI.

Listing 5-12 PLANET.BAT

```
dmorf shrink.msh /go
dmorf swirl.msh /go
dmorf solid.msh /go
dmorf crack.msh /go
dmorf leak.msh /go
dmorf atmo.msh /go
dmorf clear.msh /go
dta stars.gif /l @planet.lst /ch0,0,0 /dr
```

L'option /GO, à la fin de chacune des sept premières commandes, demande à DMorf de charger les fichiers spécifiés, d'effectuer le morphing puis de revenir au DOS. Comme l'indique l'option /L de la dernière commande, c'est une animation de type multicouches. Il y a tellement de fichiers différents dans cette animation que la ligne de commande de DTA aurait été illisible. Nous avons préféré employer un fichier nommé PLANET.LST (voir listing 5-13) qui reprend chaque fichier qui constitue la seconde couche. L'option @planet.lst demande à DTA d'utiliser ces noms de fichier.

Listing 5-13 PLANET.LST

```
cloud.gif
shrn*.tga
molten.gif
swrl*.tga
crusty.gif
sold*.tga
shell.gif
```

```
crck*.tga
cracked.gif
clds.tga
leaking.gif
atms*.tga
atmos.gif
erth*.tga
earth.gif
```

Comme toutes les images sont au format GIF 256 couleurs, elles ne contiennent aucune information de transparence. Par contre, elles ont toutes un arrière-plan noir, si bien qu'il est possible d'utiliser la fonction de sélection chromique de DTA pour rendre les arrière-plans transparents. L'option /CH0,0,0 demande à DTA de rendre transparent chaque pixel noir. Le 0,0,0 représente le noir parce que le noir ne contient ni rouge, ni vert et ni bleu. Cette animation contient de nombreuses nuances de couleurs qu'un fichier au format flic 256 couleurs ne pourra pas gérer facilement. C'est pourquoi nous avons ajouté une dernière option /DR pour que DTA mette en œuvre un dithering aléatoire avec une nouvelle palette de 256 couleurs.

Discussion

L'image finale est une version modifiée d'une image de la NASA, trouvée dans le forum SPACEFORUM de CompuServe sous le nom SH24.GIF. Les autres images ont été intégralement créées et manipulées dans PhotoShop.

La figure 5-27 montre le maillage de contrôle qui contient SHRINK.MSH et les images CLOUD.GIF et MOLTEN.GIF employées pour la première partie de l'animation. L'effet principal de cette animation est de transformer un énorme nuage en sphère de la taille d'une planète et de transformer la texture nuage en texture roche en fusion. Nous avons aussi ajouté une impression de mouvement au centre de la sphère.

La figure 5-28 montre les images et le maillage du dernier morphing, CLEAR.MSH, entre ATMOS.GIF, une image de la terre couverte de nuages, et EARTH.GIF. La forme et la taille des deux versions de la planète sont identiques et nous n'avons eu qu'à mélanger leur contenu. L'effet aurait pu être un peu triste mais, une fois de plus, nous avons ajouté du mouvement. Le cercle au milieu de la planète tourne d'environ 10 degrés d'une image à une autre.

Tous les autres maillages de cette animation sont des clones de CLEAR.MSH. Ils utilisent des images différentes, mais les maillages sont

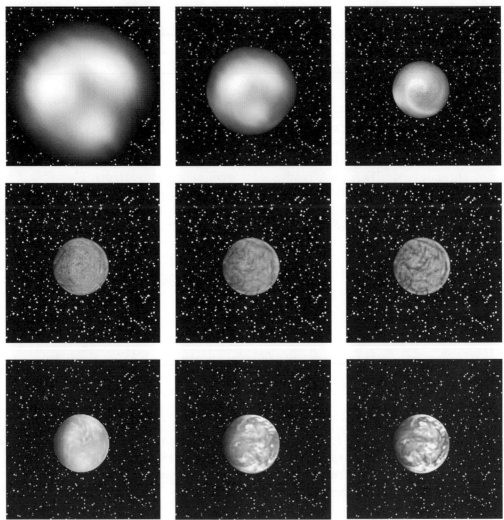

Figure 5-26 Séquence d'évolution planétaire

identiques. Chaque sphère a exactement la même forme et la même taille si bien que des maillages différents ne sont pas nécessaires. Tout au long de l'animation, la rotation de 10° donne un effet de mouvement intéressant. Les autres morphings sont basés sur SWIRL.MSH qui transforme MOLTEN.GIF

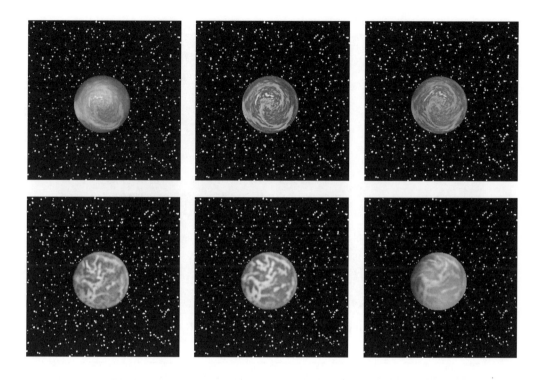

en CRUSTY.GIF ; SOLID.MSH qui transforme CRUSTY.GIF en SHELL.GIF ; CRACK.MSH qui transforme SHELL.GIF en CRACKED.GIF ; LEAK.MSH qui transforme CRACKED.GIF ; en LEAKING.GIF et ATMO.MSH qui transforme LEAKING.GIF en ATMOS.GIF.

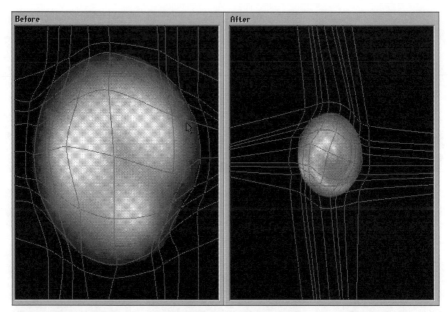

Figure 5-27 Le maillage final du morphing Evolution planétaire

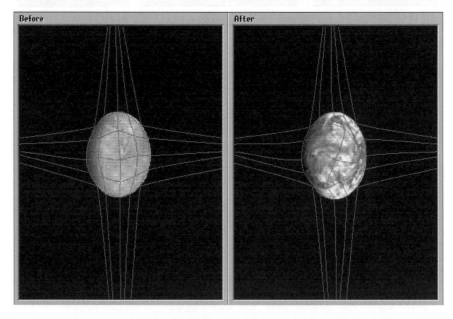

Figure 5-28 Un autre maillage du morphing Evolution planétaire

DU GÉNIE EN BOUTEILLE

Les Contes des Mille et Une Nuits ont inspiré des films célèbres, comme *le Voleur de Baghdad*, la série de film sur Sinbad et plus récemment le dessin animé *Aladdin* de Disney. Ces films sont particulièrement intéressants grâce aux diverses créatures fantastiques et étranges qui les peuplent : génies ou djinns, orques, squelettes combattants et autres objets magiques : tapis volants et lanternes magiques. Nous aimons tous les fameux génies qui jaillissent d'une lampe ou d'une bouteille, dans un écran de fumée. Si vous libérez un génie et que ce dernier est de bonne humeur, il (ou elle) exaucera vos voeux.

Dans cet exemple, nous allons vous présenter une bouteille en or qui émerge d'un tapis volant et qui laisse s'échapper un djinn à peau bleu. Il ne porte pas de cimeterre : vous aurez peut-être le choix de vous faire exaucer trois souhaits. La figure 5-29 montre certaines trames de l'animation Genie.

Génération du morphing Génie

Passez dans le répertoire adéquat et lancez le fichier de traitement par lot GENIE.BAT :

```
cd\morphing\chap5\genie
```

```
genie
```

Le fichier de traitement par lot (voir listing 5-14) exécute tout d'abord DMorf puis génère un fichier flic nommé GENIE.FLI en superposant plusieurs fichiers TGA, résultats de DMorf, sur une image d'arrière-plan.

Les quatre premières commandes demandent à DMorf de créer toutes les trames intermédiaires pour les quatre morphings. La dernière superpose toute la séquence sur l'image qui contient le tapis volant et la bouteille du génie, et génère un fichier flic nommé GENIE.FLI.

Listing 5-14 GENIE.BAT

```
dmorf fade.msh /go
dmorf smoke.msh /go
dmorf genie.msh /go
dmorf wave.msh /go
dta bottle.tga /l blank fade* puff pfsm* smoke smge* genie wave* genie2 /p /ogenie
```

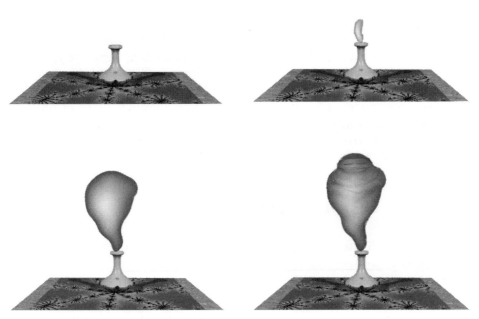

Figure 5-29 Séquence de morphing du génie en bouteille

Discussion

Comme nous l'avons mentionné précédemment, l'animation Génie est composée de quatre morphings distincts. Le premier, défini par le fichier maillage FADE.MSH, mélange une image totalement transparente, BLANK.TGA, à l'image d'une fumée, PUFF.TGA. La figure 5-30 montre ce maillage. Il n'y a aucun point de contrôle, excepté les coins des deux images puisqu'il n'y a aucun objet à déformer. PUFF.TGA a été créée de toutes pièces grâce à PhotoShop. L'arrière-plan a été rendu transparent grâce à la fonction de sélection et d'édition chromique de DMorf. BLANK.TGA est une copie de PUFF.TGA, la fumée ayant été supprimée grâce à DMorf.

La seconde partie, définie dans SMOKE.MSH, effectue le morphing entre PUFF.TGA et une image représentant un plus grand nuage de fumée,

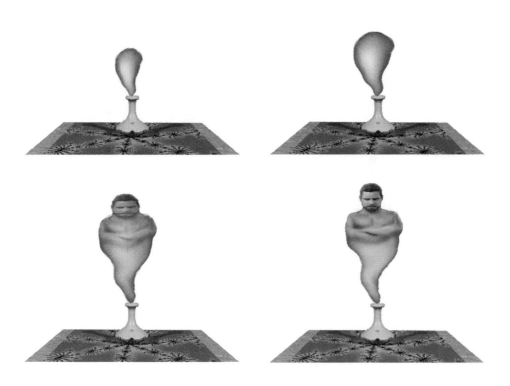

SMOKE.TGA. La figure 5-31 montre le maillage employé pour créer le morphing. Il est très simple puisqu'il suffit de faire correspondre les limites de deux nuages de fumée. SMOKE.TGA a aussi été créé dans PhotoShop.

Le troisième morphing, défini par GENIE.MSH, transforme le nuage de fumée en génie. La figure 5-32 montre le maillage employé pour créer cette partie de l'animation. Il est un peu plus complexe parce qu'il faut associer les caractéristiques du génie au nuage de fumée. L'image du génie, GENIE.TGA, a commencé par une capture vidéo de votre serviteur puis a été considérablement retouchée sous PhotoShop.

La dernière partie, définie par WAVE.MSH, est en réalité une déformation et non un morphing. Elle permet de donner l'impression que la partie inférieure du génie se met à danser comme sous l'influence du vent. La figure 5-33 montre le maillage employé pour créer cette partie.

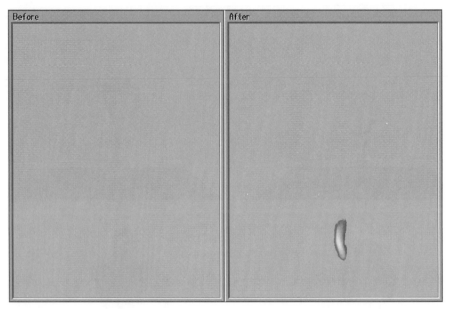

Figure 5-30 Premier maillage pour le morphing Génie

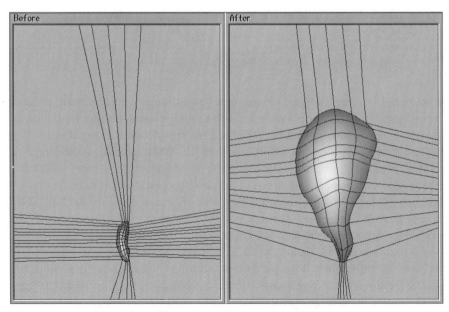

Figure 5-31 Second maillage pour le morphing Génie

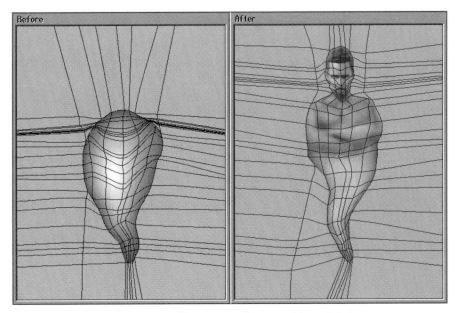

Figure 5-32 Troisième maillage pour le morphing Génie

BOTTLE.TGA, l'image d'arrière-plan qui contient la bouteille du génie et un tapis volant, a été créée grâce au programme de lancer de rayon PolyRay de Alexander Enzmann. FRACINT, du Stone Soup Group, a fourni un motif à base de fractales pour le tapis. Les fonctions de bruit et de flou de PhotoShop ont généré les franges des bords du tapis. La copie de BOTTLE.TGA fournie sur disquette est un fichier en basse résolution à cause de la place limitée. Toutefois, si vous disposez de PolyRay, vous pouvez la régénérer en haute résolution grâce aux fichiers que vous trouverez dans le répertoire de ce morphing. BOTTLE.PI est le fichier d'entrée de PolyRay, RUG.TGA est le motif fractal pour le tapis volant et FRINGE.TGA est le motif pour les franges dorées.

ROBOT

Dans une des séquences les plus fascinantes du film *Terminator 2: Judgment Day*, le méchant terminator se transforme d'un amas de métal liquide en un corps métallique à forme humaine puis en être humain. Les magiciens des effets spéciaux ont utilisé une combinaison de techniques de morphing 3-D et

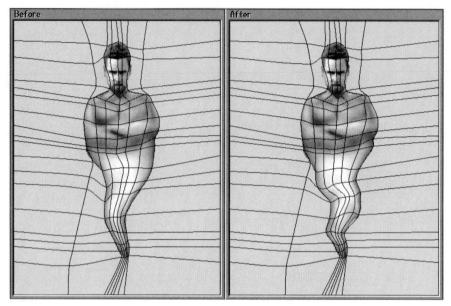

Figure 5-33   Quatrième maillage pour le morphing Génie

2-D pour créer cet effet, mais nous pouvons arriver à un résultat raisonnablement similaire avec simplement du morphing 2-D. Dans cet exemple, une sphère métallique va commencer par être agitée de pulsations. La forme va se déformer et un nodule bulbeux va apparaître à son sommet. Le corps principal de la sphère va devenir les épaules et les bras d'un robot tandis que la partie supérieure va se transformer en tête de robot. Pour finir, le robot va se transformer en être humain. La figure 5-34 montre une séquence de trames de cette animation.

Génération du morphing Robot

Passez dans le répertoire adéquat et lancez le fichier de traitement par lot ROBOT.BAT :

```
cd\morphing\chap5\robot
```

```
robot
```

Le fichier de traitement par lot (voir listing 5-15) exécute tout d'abord DMorf pour chacun des trois fichiers de maillage, puis génère un fichier flic nommé ROBOT.FLI

Listing 5-15 ROBOT.BAT

```
dmorf sphblb.msh /go
dmorf blobs.msh /go
dmorf blbrob.msh /go
dmorf robdav.msh /go
dta cloudy /l sphere spbl* blob1 blbs* blob2 blro* robot roda* dkm /p /orobot /r6
```

L'option /GO à la fin de chacune des quatre commandes demande à DMorf de charger le fichier maillage spécifié, d'effectuer le morphing puis de revenir au DOS. Une fois que vous avez lancé le fichier de traitement par lot, il n'est plus nécessaire de cliquer sur quelque bouton que ce soit pour que votre machine génère les trames de la séquence.

La dernière commande est un peu plus complexe. La plupart des paramètres (ceux qui ne commencent pas par " / ") sont des noms de fichier. Par exemple, " cloudy " est l'image d'arrière-plan d'un ciel nuageux. Comme aucune extension n'est précisée, DTA considère que c'est un fichier au format Targa qui s'appelle CLOUDY.TGA. L'option /L demande à DTA de placer l'image d'arrière-plan dans une couche et toutes les autres dans une seconde qui sera superposée à la première. L'option /P ajoute un effet " ping-pong " pour les images de la seconde couche uniquement car l'option est placée après le /L. L'option /OROBOT donne à DTA le nom du fichier résultat, ROBOT. L'option /R6 indique à DTA de créer un fichier flic FLC de résolution 640 x 480 au lieu du format par défaut FLI de 320 x 200.

Discussion

Le morphing Robot est en réalité constitué de quatre morphings distincts créés à partir de cinq images fixes. Chaque ligne de cinq trames de la figure 5-34 représente un morphing unique. La première séquence est une transition entre une sphère parfaite (SPHERE.TGA) et une forme qui n'est pas tout à fait sphérique (BLOB1.TGA). La seconde séquence effectue un morphing entre BLOB1.TGA et une autre forme BLOB2.TGA qui ressemble déjà plus à la tête et aux épaules d'une personne. La troisième est un morphing entre la seconde forme et la tête et les épaules du robot (ROBOT.TGA). La séquence finale est un morphing entre la tête et les épaules du robot et celles de l'auteur (DKM.TGA).

Les quatre premières images de ce morphing ont été créées grâce au programme de lancer de rayon PolyRay d'Alexander Enzmann. PolyRay peut rendre automatiquement transparent l'arrière-plan des images, sans édition ou

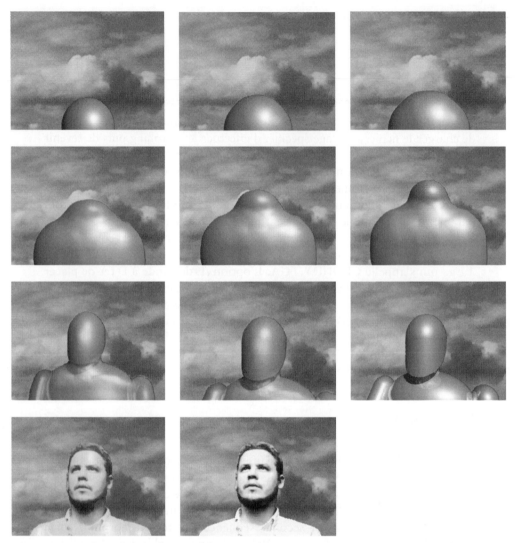

Figure 5-34 Séquences du morphing Robot

traitement complémentaire. Si vous disposez de ce logiciel et que vous désirez manipuler ces fichiers, ils sont livrés sur la disquette d'accompagnement. Ce sont SPHERE.PI, BLOB1.PI, BLOB2.PI et ROBOT.PI. L'image finale a été capturée à partir d'un cassette vidéo grâce à la carte de numérisation PC-Hurricane (voir chapitre 3) et éditée grâce à DMorf (voir aussi chapitre 3).

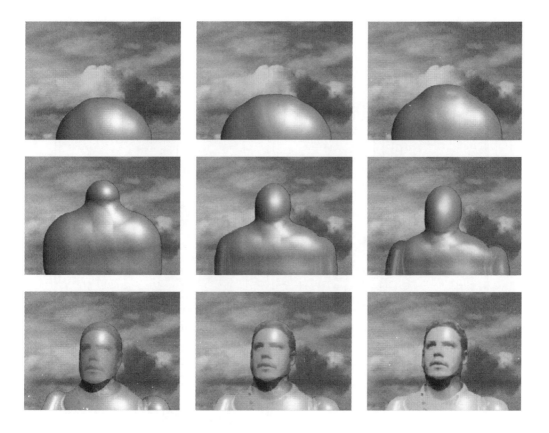

La figure 5-35 montre le maillage de contrôle et les images employés pour la première animation. Les silhouettes des deux objets ont des formes similaires, même si la taille varie. L'effet majeur à ce stade consiste à déformer le sommet de la sphère. Un second effet, qu'on aperçoit uniquement dans l'ombre de l'objet, consiste à le rendre plus épais dans la perspective.

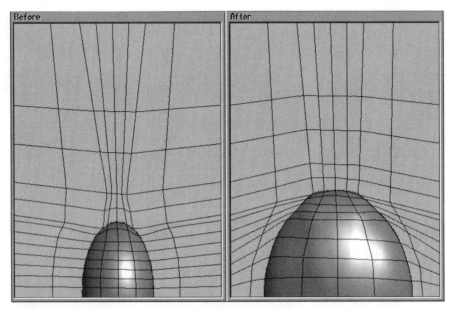

Figure 5-35 Premier maillage du morphing Robot

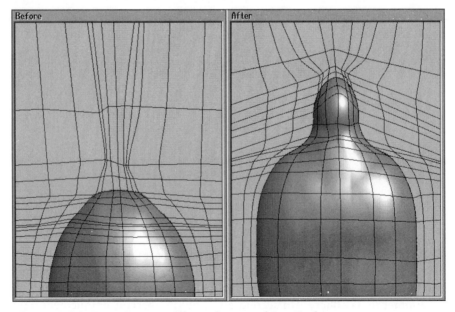

Figure 5-36 Deuxième maillage du morphing Robot

La figure 5-36 montre les images et le maillage utilisés pour le deuxième morphing. Nous y transformons une forme en une autre forme, tout particulièrement au niveau des excroissances.

La figure 5-37 montre le troisième maillage et les images employés pour l'animation. Comme tout au début, ce n'est pas très difficile car les formes des objets sont très proches. Le plus dur consiste à bien faire apparaître les épaules parce que le robot a deux bras bien distincts et pas la forme de départ.

La figure 5-38 montre les images et le maillage utilisés pour la dernière partie du morphing. Nous retrouvons le problème précédent des épaules auquel s'ajoute celui du visage humain par rapport à un autre qui ne l'est pas. Il suffit de copier les points de contrôle du visage de la seconde image sur la première.

RÉSUMÉ

Ce chapitre a démontré, grâce à de nombreux exemples, comment employer DMorf et DTA pour créer toutes sortes d'effets spéciaux. Nous avons transformé des personnes, des animaux, des voitures, des maisons et même un

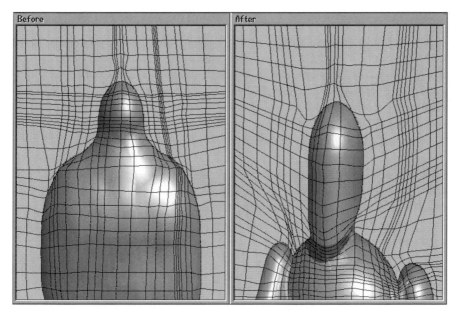

Figure 5-37 Troisième maillage du morphing Robot

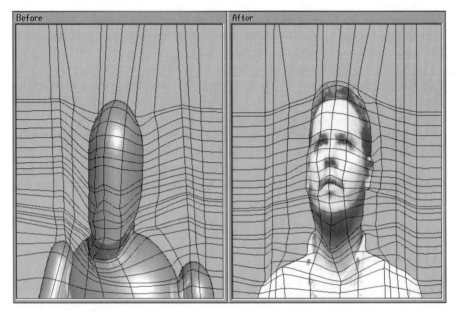

Figure 5-38 Quatrième maillage pour le morphing Robot

robot. Certains de ces exemples font appel à plusieurs morphings pour créer des effets qui auraient été impossibles avec un seul morphing, ou du moins peu convaincants. Certains superposent des images à d'autres. J'espère que vous y avez puisé de nouvelles idées et y avez également pris plaisir.

Vous avez appris comment capturer et créer vos propres images, comment créer des maillages de contrôle, comment éditer des images pour rendre leur arrière-plan transparent, et comment superposer plusieurs couches d'images. Vous avez étudié toutes les options de DMorf et de DTA et savez maintenant comment utiliser FLISPEED et Play. Ce livre s'achève mais, pour vous, tout commence. Il est maintenant temps d'appliquer tout ce que vous avez appris pour créer vos propres animations. Les possibilités du morphing ne sont limitées que par votre propre imagination. Appliquez ce que vous avez appris et inventez de nouvelles astuces.

INDEX